Cape Cod, Nantucket, Martha's Vineyard

Alexandra Gilbert
Mark Heard

Guides de voyage

ULYSSE

Le plaisir de **mieux voyager**

Bureaux

Canada : Guides de voyage Ulysse, 4176, rue St-Denis, Montréal (Québec) H2W 2M5, ☎(514) 843-9447 ou 1-877-542-7247, fax : (514) 843-9448, info@ulysse.ca, www.guidesulysse.com

Europe : Guides de voyage Ulysse SARL, BP 159, 75523 Paris Cedex 11, France, ☎01 43 38 89 50, fax : 01 43 38 89 52, voyage@ulysse.ca, www.guidesulysse.com

États-Unis : Ulysses Travel Guides, 305 Madison Avenue, Suite 1166, New York, NY 10165, ☎1-877-542-7247, info@ulysses.ca, www.ulyssesguides.com

Distribution

Canada : Guides de voyage Ulysse, 4176, rue St-Denis, Montréal (Québec) H2W 2M5, ☎(514) 843-9882, poste 2232, ☎1-800-748-9171, fax : (514) 843-9448, www.guidesulysse.com, info@ulysse.ca

États-Unis : Distribooks, 8120 N. Ridgeway, Skokie, IL 60076-2911, ☎(847) 676-1596, fax : (847) 676-1195

Belgique : Presses de Belgique, 117, boulevard de l'Europe, 1301 Wavre, ☎(010) 42 03 30, fax : (010) 42 03 52

France : Havas Services, 3, allée de la Seine, 94854 Ivry-sur-Seine Cedex, ☎01 49 59 10 10, fax : 01 49 59 10 72

Espagne : Altaïr, Balmes 69, E-08007 Barcelona, ☎(3) 323-3062, fax : (3) 451-2559

Italie : Centro cartografico Del Riccio, Via di Soffiano 164/A, 50143 Firenze, ☎(055) 71 33 33, fax : (055) 71 63 50

Suisse : Havas Services Suisse, ☎(26) 460 80 60, fax : (26) 460 80 68

Pour tout autre pays, contactez les Guides de voyage Ulysse (Montréal).
Données de catalogage avant publication (Canada) (voir p 4).

© Guides de voyage Ulysse inc.
Tous droits réservés
Bibliothèque nationale du Québec
Dépôt légal - Premier trimestre 2001
ISBN 2-89464-461-2

Cape Cod is the bared and bended arm of Massachusetts:
the shoulder is at Buzzards Bay; the elbow, or crazy-bone,
at Cape Mallebarre; the wrist at Truro; and the sandy fist at
Provincetown, – behind which the State stands on her
guard, with her back to the Green Mountains, and her feet
planted on the floor of the ocean, like an athlete protecting
her Bay, – boxing with northeast storms, and, ever and
anon, heaving up her Atlantic adversary from the lap of
earth, – ready to thrust forward her other fist, which keeps
guard the while upon her breast at Cape Ann.

Henry David Thoreau, *Cape Cod*

Cape Cod est le bras nu et replié du Massachusetts :
l'épaule se trouve à Buzzards Bay, le coude, ou petit juif,
à Cape Mallebarre, le poignet à Truro et le poing
sablonneux à Provincetown, derrière lequel le reste de
l'État monte la garde, le dos tourné aux Green Mountains
et les pieds rivés dans le plancher océanique, protégeant sa
baie tel un athlète en luttant contre les orages du nord-est
et en soulevant sans relâche son adversaire atlantique du
giron de la terre, toujours prêt à lui opposer son autre
poing, tendu sur sa poitrine à Cape Ann.

Auteurs
Alexandra Gilbert
Mark Heard

Éditrice
Stéphane G.
Marceau

Directrice de production
Pascale Couture

Correcteur
Pierre Daveluy

Traducteur
Pierre Corbeil

Adjointe à l'édition
Caroline Béliveau
Assistantes
Julie Brodeur
Marie-Josée
Béliveau

Cartographes
André Duchesne
Yanik Landreville
Patrick Thivierge

Infographiste
Stéphanie Routhier

Illustratrices
Valérie Fontaine
Lorette Pierson

Photographes
1re de couverture
T. Philiptchenko
(Megapress)
Pages intérieures
Alexandra Gilbert
Mark Heard

Directeur artistique
Patrick Farei (Atoll)

Données de catalogage

Données de catalogage avant publication (Canada)

Gilbert, Alexandra
Cape Cod, Nantucket

(Guide de voyage Ulysse)
Traduction partielle de : Cape Cod, Nantucket and Martha's Vineyard
Comprend un index.
ISBN: 2-89464-461-2

1. Cod, Cap (Mass.) - Guides. 2. Nantucket (Mass. : Île) - Guides.
I. Heard, Mark. II. Titre. III. Collection.

F72.C3G54142001   917.44'920444   C2001-940012-8

Remerciements

Merci à Lidia Hernandez, International Marketing Coordinator, Massachusetts Office of Travel and Tourism et Arthur Ratsy, Vice President, Cape Cod Chamber of Commerce, Convention and Visitors Bureau.

Les Guides de voyage Ulysse reconnaissent l'aide financière du gouvernement du Canada par l'entremise du Programme d'aide au développement de l'industrie de l'édition (PADIÉ) pour ses activités d'édition.

Les Guides de voyage Ulysse tiennent également à remercier la SODEC pour son soutien financier.

Écrivez-nous

Tous les moyens possibles ont été pris pour que les renseignements contenus dans ce guide soient exacts au moment de mettre sous presse. Toutefois, des erreurs peuvent toujours se glisser, des omissions sont toujours possibles, des adresses peuvent disparaître, etc.; la responsabilité de l'éditeur ou des auteurs ne pourrait s'engager en cas de perte ou de dommage qui serait causé par une erreur ou une omission.

Nous apprécions au plus haut point vos commentaires, précisions et suggestions, qui permettent l'amélioration constante de nos publications. Il nous fera plaisir d'offrir un de nos guides aux auteurs des meilleures contributions. Écrivez-nous à l'adresse qui suit, et indiquez le titre qu'il vous plairait de recevoir (voir la liste à la fin du présent ouvrage).

Guides de voyage Ulysse
4176, rue Saint-Denis
Montréal (Québec)
Canada H2W 2M5
www.guidesulysse.com
texte@ulysse.ca

Sommaire

Liste des cartes

Légende des cartes

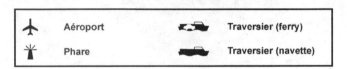

✈   Aéroport   🚢   Traversier (ferry)

☀   Phare   🚤   Traversier (navette)

Tableau des symboles

♿	Accessibilité aux personnes à mobilité réduite
≡	Air conditionné
🐾	Animaux domestiques acceptés
⊛	Baignoire à remous
⊘	Centre de conditionnement physique
🐬	Coup de cœur Ulysse pour les qualités particulières d'un établissement
ℂ	Cuisinette
ℑ	Foyer
pc	Pension complète
pdj	Petit déjeuner inclus dans le prix de la chambre
≈	Piscine
ℝ	Réfrigérateur
ℜ	Restaurant
bc	Salle de bain commune
bp	Salle de bain privée (installations sanitaires complètes dans la chambre)
△	Sauna
S	Stationnement
⇌	Télécopieur
☎	Téléphone
tlj	Tous les jours

Classification des attraits

★	Intéressant
★★	Vaut le détour
★★★	À ne pas manquer

Classification de l'hébergement

Les tarifs mentionnés dans ce guide s'appliquent, sauf indication contraire, à une chambre standard pour deux personnes en haute saison.

$	moins de 50$
$$	de 51$ à 100$
$$$	de 101$ à 150$
$$$$	151$ et plus

Classification des restaurants

Les tarifs mentionnés dans ce guide s'appliquent, sauf indication contraire, à un dîner pour une personne, excluant le service et les boissons.

$	moins de 10$
$$	de 11$ à 20$
$$$	de 21$ à 30$
$$$$	plus de 30$

Tous les prix mentionnés dans ce guide sont en dollars US.

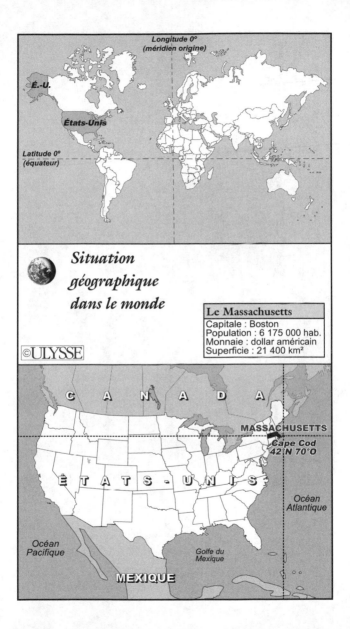

Situation géographique dans le monde

Le Massachusetts

Capitale : Boston
Population : 6 175 000 hab.
Monnaie : dollar américain
Superficie : 21 400 km²

©ULYSSE

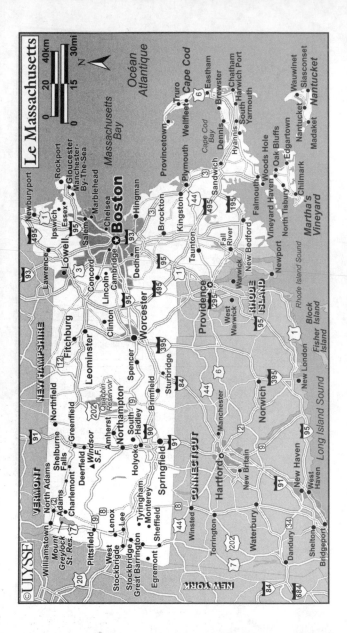

Portrait

Surnommée affectueusement «the Cape», la presqu'île de Cape Cod compte parmi les plus belles destinations estivales de la Nouvelle-Angleterre.

Le seul nom de Cape Cod évoque un lieu quasi mythique; avec les histoires du clan Kennedy qui bercent Hyannis, la bohème artistique de Provincetown, le charme bourgeois de Chatham et les demeures historiques qui bordent les villages longeant l'Old King's Highway (Route 6A), cette étrange péninsule en forme de bras replié exerce une fascination à laquelle il est difficile de résister.

Les amateurs de plein air peuvent compter sur une diversité d'activités dignes des plus grands lieux de villégiature. Le summum du charme naturel de Cape Cod se dessine sur le Cape Cod National Seashore, qui abrite de nombreuses plages immaculées, des phares silencieux ainsi qu'une faune et une flore diversifiées.

Les îles de Martha's Vineyard et de Nantucket n'échappent pas à cet engouement, et leurs beautés naturelles côtoient les vestiges d'un passé faste aux effluves de commerce maritime florissant qui se reflète dans l'architecture locale.

Ces lieux de villégiature très prisés cachent plusieurs célébrités venues se reposer sur un morceau de plage privée ou encore se délecter de la *clam chowder* locale.

Géographie

Cape Cod est une péninsule en forme de bras replié qui s'étend sur 105 km dans l'océan Atlantique. Elle est entourée au nord par la Cape Cod Bay, à l'ouest par la Buzzards Bay et au sud par le Vineyard Sound et le Nantucket Sound. Au nord du «coude» (Chatham), l'est de cette longue terre nommé l'Outer Cape est ceint par l'océan Atlantique.

La largeur de Cape Cod varie entre 1,6 km et 32 km, sa plus étroite partie, l'Outer Cape, étant bordée à l'est par les charmes naturels du Cape Cod National Seashore (CCNS), une zone récréative et naturelle créée en 1961 qui s'étend sur 176 km². Le CCNS est protégé par des lois visant à limiter le développement sur son territoire.

Le Cape Cod Canal sépare la Buzzards Bay de la Cape Cod Bay. La péninsule, ainsi détachée de la terre ferme, y est reliée par deux ponts, soit le Sagamore Bridge et le Bourne Bridge. Le cap est sablonneux, mais abrite quelques coins forestiers. Son territoire est entrecoupé de plusieurs lacs, d'étangs d'eau fraîche et de marais d'eau salée.

Attention à la dénomination locale des secteurs du cap, qui engendre énormément de confusion : l'Upper Cape désigne le secteur ouest, celui qui se trouve près du Cape Cod Canal; le Mid-Cape s'étend de Barnstable au nord et de Hyannis au sud, jusqu'à Orleans, tandis que l'Outer Cape (ou Lower Cape) relie Orleans à Provincetown.

L'île de Martha's Vineyard est située à 6 km des côtes de Cape Cod. Elle mesure 32 km de long et entre 3 km et 16 km de large. La Martha's Vineyard State Forest occupe le centre de l'île, tandis que de nombreux étangs isolés par des barrières de sable accentuent sa côte.

L'île de Nantucket est séparée de Cape Cod par le Nantucket Sound et de Martha's Vineyard par le Muskeget Channel. Elle est située à 48 km au sud de Cape Cod et à 24 km à l'est de Martha's Vineyard. Nantucket mesure 24 km de long et entre 5 km et 10 km de large.

Les îles de Martha's Vineyard et de Nantucket sont toutes deux desservies par leur aéroport respectif ainsi que par un service de traversier efficace, tandis que Cape Cod possède un bon réseau routier.

Martha's Vineyard et Nantucket abritent une population permanente. Bien que certains attraits, hôtels et restaurants ferment leurs portes vers la mi-octobre, les îles n'en demeurent pas moins charmantes, dégagées de leur horde de vacanciers, et retrouvent leur sérénité. Il en va de même pour Cape Cod, qui, bien que plus accessible que les îles en dehors de la haute saison touristique, vit quelque peu au ralenti; la plupart de ses musées restreignent leurs heures d'ouverture vers la mi-septembre et il est essentiel de vérifier l'ouverture des restaurants et des établissements hôteliers.

Géologie

Il y a environ 15 000 ans, à cause d'un réchauffement climatique soudain, les glaciers se retirèrent de la Nouvelle-Angleterre, laissant sur leur passage les débris qui allaient former Cape Cod et les îles de Martha's Vineyard et de Nantucket. Au cours des derniers 7 000 ans, la mer se gonfla à la suite de la fonte des glaciers, ce qui donna naissance au Nantucket Sound qui sépara Cape Cod des îles. Les vagues continuèrent à sculpter le littoral du cap et les îles n'atteignirent leur forme actuelle il n'y a de cela que 2 000 ans. Depuis la déglaciation, le visage de Cape Cod a énormément changé. L'érosion a joué un rôle important dans la formation de cette nouvelle presqu'île.

L'effritement des falaises glaciaires amena la formation des plages. Le sable tombé de ces falaises fut tout simplement relocalisé par le vent. Les dunes prirent forme il y a de cela 6 000 ans, par un mélange de sable et de gravier transporté le long du littoral par le courant, ensuite par le vent qui le déposa au sol.

Dû aux éléments constamment en interaction les uns avec les autres, le visage du cap est encore appelé à changer. L'érosion du littoral a déjà forcé le déménagement de la Nauset Light à Eastham et de la Highland Light de Truro.

Faune et flore

Faune

Mammifères

Mammifères marins

À l'embouchure de la Massachusetts Bay, à quelques kilomètres au nord de Provincetown, le Stellwagen Bank National Marine Sanctuary joue un rôle vital dans la région. Le Stellwagen Bank est un dépôt de sable et de gravier sous-marin qui favorise l'émergence des éléments nutritifs des environs. Ce système complexe attire une faune marine qui s'y nourrit, parmi laquelle on retrouve des baleines. Dans le sous-ordre des cétacés à dents *(toothed whales)*, on a observé au Stellwagen Bank les dauphins *Atlantic white-sided* qui se déplacent en groupe de 400 à 500 individus.

servée est la baleine à bosse. Elle mesure entre 12 m et 15 m, et se distingue principalement par ses nageoires blanches. La baleine à bosse fait le plaisir des excursionnistes avec ses sauts et ses plongeons spectaculaires.

Presque totalement disparue après une pêche abusive, la baleine franche est désormais une espèce protégée. Plus lente que les

Phoques communs

autres, elle tient son nom des pêcheurs qui s'exclamaient, à son approche, que c'était la «bonne baleine» *(right whale)* à chasser. Elle est l'espèce dont l'avenir laisse le plus à craindre, avec une population actuelle d'environ 350 individus recensés dans les eaux de l'Atlantique Nord.

Baleine à bosse

Le rorqual commun *(fin whale* ou *finback whale)* peut atteindre entre 15,5 m et 23 m, et il est reconnaissable à la particularité de sa mâchoire, blanche d'un côté et foncée de l'autre.

Parmi les quatre espèces de cétacés à fanons *(baleen whales)* qui visitent les eaux du Stellwagen Bank, l'espèce la plus communément ob-

Quant au petit rorqual *(min-kewhale)*, il se distingue par ses 6 m de longueur.

Tortue verte

Se faisant dorer au soleil sur les bancs de sable ou pataugeant dans la mer, les phoques gris et les phoques communs *(harbor seals)* ont souvent été aperçus autour du cap, sur les étendues sablonneuses de Chatham. Les étangs et marais abritent cinq espèces de tortues, tandis que quatre espèces de tortues de mer migrent vers Cape Cod en été, dont la tortue verte.

Mammifères terrestres

La richesse de la vie maritime qui entoure le cap et qui foisonne dans ses étangs et marais contraste avec la vie terrestre, moins diversifiée et limitée à quelques espèces seulement. Cape Cod ne compte seulement que quelques mammifères terrestres, parmi lesquels les plus gros sont le gracieux cerf de Virginie *(white-tailed deer)*, le renard roux et le coyote. Ceux-ci partagent les différents habitats du cap avec le raton laveur, la moufette rayée, la belette, la loutre, le vison, la marmotte d'Amérique et de plus petits rongeurs comme le tamia rayé, l'écureuil gris et l'écureuil roux ainsi que différentes espèces de souris. Sur Nantucket, les écureuils et les cerfs, exterminés par la chasse, sont réapparus il y a quelques années.

Oiseaux

Cape Cod et les îles bénéficient d'une position géographique privilégiée qui favorise l'arrêt de plusieurs espèces d'oiseaux durant leur migration. Seulement sur le territoire du Cape Cod National Seashore, 350 espèces différentes ont été recensées. Oiseaux chanteurs ou de rivage,

Cerf de Virginie

Aigle à tête blanche

aquatiques ou migratoires, la faune ailée est partout omniprésente.

Des espèces protégées comme le pluvier siffleur nichent en plusieurs endroits du cap. D'autres espèces menacées fréquentent le territoire, comme l'aigle à tête blanche et le faucon pèlerin. Plus de 350 espèces d'oiseaux ont également été recensées sur l'île de Nantucket.

Mollusques et poissons

La cuisine du cap et des îles reflète bien cette abondance de mollusques dont est pourvue la région. Huîtres, moules, palourdes et pétoncles font le bonheur des hommes comme celui des oiseaux qui sont nombreux à profiter du festin des mollusques échoués. Les homards et crevettes font également partie de ce paysage marin qui assure la subsistance des habitants de Cape Cod et des îles depuis des milliers d'années.

Les eaux regorgent de poissons fort prisés, comme le bar rayé et le thon. Les plans d'eau douce de la terre ferme contiennent quant à eux perches et truites.

Flore

La flore du cap et des îles varie énormément selon l'habitat environnant. Cape Cod est reconnu pour sa culture de canneberges. Ce fruit qui pousse à l'état sauvage ou en cultures était déjà bien connu des Amérindiens de la région, les Wampanoags. Les tourbières de canneberges *(cranberry bogs)* qui teintent le paysage de Cape Cod en automne sont également présentes sur Nantucket. Sur l'île de Nantucket, le Milestone Cranberry Bog qui s'étend sur 105 ha, est une des plus importantes entreprises agricoles productrices de canneberges aux États-Unis.

À la suite du dispersement des dunes de Cape Cod, de vastes efforts de sauvetage ont été entrepris pour en assurer la préservation. Les dunes ont été stabilisées dès le début du XIXe siècle par l'implantation, entre autres, d'ammophile *(beach grass)* et de verge d'or *(seaside goldenrod)*.

Le paysage forestier de Cape Cod est dominé par le pin résineux *(pitch pine)*, le chêne à gros glands *(bear oak)*, le chêne blanc *(white oak)* et le chêne noir *(black oak)*, le cerisier noir *(black cherry)*, le hêtre américain *(American beech)*, le cèdre blanc de l'Atlantique *(Atlantic white cedar)*, l'érable rouge *(red maple)*, le cèdre rouge de l'Est *(Eastern red cedar)* et le caroubier noir *(black locust)*. L'île de Nantucket foisonne de petits fruits sauva-

Bleuets

ges, particulièrement de bleuets.

Histoire

Premiers explorateurs

Plusieurs milliers d'années avant l'arrivée des Pères pèlerins qui allait signer le début de l'émigration européenne vers les futurs États-Unis d'Amérique, les Amérindiens avaient déjà peuplé la région de Cape Cod. On croit que la période glaciaire a permis à des nomades de l'Asie septentrionale de franchir le détroit de Béring il y a de cela environ 12 000 ans. Avec le réchauffement climatique, ces nouveaux arrivants poussèrent plus loin leur exploration de ces nouvelles terres et certains s'installèrent sur le territoire actuel de la Nouvelle-Angleterre.

Les Wampanoags – gens de l'Est (Easterners) – et les Nausets vivaient depuis des milliers d'années sur le territoire de Cape Cod et les îles de Martha's Vineyard et de Nantucket lorsque les premiers Européens entrèrent en contact avec eux. Des découvertes ar-

Mayflower Compact

Pour les Étasuniens, la signature du *Mayflower Compact* et l'élection de John Carver à la tête du groupe de Pères pèlerins fraîchement arrivé au Provincetown Harbor, à bord du *Mayflower*, marquent la naissance de la démocratie aux États-Unis.

Le 11 novembre 1620, alors que la colonie n'était qu'embryonnaire, les 41 signataires, tous des hommes, marquèrent l'histoire de cette nouvelle terre; cet acte est cité comme le premier pas vers la Déclaration d'indépendance signée... 156 ans plus tard.

chéologiques prouvent que la présence amérin-dienne sur Martha's Vineyard remonte à 5 000 ans. Les Wampanoags peuplaient autrefois l'est du Rhode Island et le sud-est du Massachusetts, de même que les îles de Martha's Vineyard et Nantucket, alors que l'actuel territoire de Cape Cod était occupé par les Nausets.

Les Vikings, et plus particulièrement Leif Erikson, auraient visité Cape Cod en 1003 et notent une présence amérindienne. Les pêcheurs européens du XVIe siècle connaissaient bien ces eaux fertiles et ils étaient nombreux à profiter de la pêche abondante.

C'est à Bartholomew Gosnold, un explorateur anglais qui sillonna le territoire en 1602, que revient le mérite d'avoir baptisé cette terre. Étonné du grand nombre de morues qui grouillait dans les eaux entourant cette péninsule, il la baptisa «cap des morues», soit Cape Cod.

Durant ce voyage, Gosnold explora également l'île que les Wampanoags surnommaient Noepe – île des courants (Island of the Streams) –, mais qu'il renomma Martha's Vineyard en l'honneur de sa fille Martha et des nombreuses vignes de l'île. Il fit également une visite de l'île de Nantucket et nota la présence des Wampanoags.

L'explorateur français Samuel de Champlain, qui allait fonder la ville de Québec en 1608, dessina une carte de la région en 1605. Il relate dans ses écrits sa rencontre avec les Nausets en 1606.

Colonisation

Dix-huit années s'écouleront entre le passage de Gosnold et l'arrivée des Européens en ces terres. En 1620, 102 hommes, femmes et enfants quittèrent l'Angleterre pour la Hollande, avant de s'embarquer sur le vaisseau *Mayflower* afin de traverser l'océan Atlantique. Avides d'une plus grande liberté religieuse, ceux que l'histoire connaît sous le nom de Pères pèlerins quittèrent définitivement l'Europe pour fonder une colonie au Nouveau Monde.

Le 11 novembre 1620, ces expatriés mirent pied à terre à l'emplacement de l'actuelle Provincetown où les hommes rédigèrent et signèrent le *Mayflower Compact* (voir encadré page précédente). Ils explorèrent la région pendant cinq semaines et, en décembre 1620, s'ancrèrent non loin de Wellfleet Harbor. C'est à

la First Encounter Beach qu'ils rencontrèrent pour la première fois des Amérindiens, fort probablement des Nausets. Ils poussèrent ensuite leur voyage plus à l'ouest, vers les terres plus clémentes de la Plimoth Plantation, à Plymouth, qui allait devenir la première colonie des États-Unis.

À l'arrivée des Pères pèlerins, les tribus de Cape Cod ne comptaient plus que 2 000 personnes, comparativement à 3 000 sur les îles, moins touchées, de par leur isolement, par les différentes épidémies d'origines diverses qui décimèrent la population. Les Amérindiens de Cape Cod et des îles assuraient leur subsistance par

la culture du maïs, des courges et des fèves, de la chasse et principalement de la pêche,

Dates marquantes de l'histoire de Cape Cod et des îles voisines

1602 Bartholomew Gosnold baptise Cape Cod et Martha's Vineyard, et localise Nantucket.

1620 Les Pères pèlerins débarquent sur le site de l'actuelle Provincetown et rédigent le *Mayflower Compact*.

1637 La première ville voit le jour sur le cap : Sandwich.

1642 Les premiers colons arrivent à Martha's Vineyard.

1659 Les premiers colons arrivent à Nantucket.

1675-1676 King's Philip's War.

1691 Attribution d'une charte à la Province of Massachusetts Bay.

4 juillet 1776 Les colonies se déclarent indépendantes de la Couronne britannique.

1914 Le Cape Cod Canal est opérationnel.

1961 Création du Cape Cod National Seashore.

1987 Acte de reconnaissance de la Wampanoag Tribe of Gay Head.

qui comptait beaucoup de mollusques. Les différentes nations amérindiennes qui peuplent aujourd'hui les six États de la Nouvelle-Angleterre appartiennent à la grande famille linguistique algonquienne.

Les Amérindiens jouèrent un rôle important dans l'établissement des colons sur ces nouvelles terres sauvages. D'abord hostiles aux Pères pèlerins de la Plimoth Plantation, ils leur montrèrent ensuite non seulement comment subsister, mais leur fournirent aussi des vivres durant la famine qui les frappa en 1622 et sauvèrent, vraisemblablement, les colons fraîchement arrivés.

En 1637, une poignée de colons insatisfaits de la répartition des terres à la Plimoth Plantation la quittèrent pour fonder Sandwich, la première ville établie par des colons sur Cape Cod. Bientôt suivirent Barnstable en 1638 et Dennis en 1639. À cette époque, et ce, jusqu'en 1685, le territoire de Plymouth et de Cape Cod formait la Plymouth Colony, une colonie d'environ 3 000 habitants. La Massachusetts Bay Colony, établie plus au nord, comptait, vers 1640, quelque 20 000 habitants.

En 1641, Thomas Mayhew acheta les îles de Martha's Vineyard et de Nantucket; il baptisa cette dernière d'un nom amérindien faisant référence à son éloignement et à la pauvreté de son sol. Martha's Vineyard fut colonisée dès l'année suivante et l'on fonda l'actuelle Edgartown, alors que la colonisation de Nan-

tucket ne débuta pas avant 1659.

Les révolutions

En 1675-1676, la King's Philip's War brisa l'accord de paix signé entre le grand chef des Wampanoags, Massasoit, et les colons. De son vrai nom Metacom, et fils du signataire de ce traité pacifique, le Wampanoag King Philip perdit la vie dans cette guerre qui ravagea plusieurs villages coloniaux. Les Wampanoags qui survécurent à la guerre se réfugièrent dans les îles de Martha's Vineyard et de Nantucket, mais la population fut considérablement diminuée. Les Nausets restèrent fidèles aux colons. Au XVIIIe siècle, les conflits entre Européens et Amérindiens se poursuivirent.

Alors que la Plymouth Colony ne s'était jamais vu attribuer une charte royale, l'arrogance et l'autorité agressive de la gestion de la Massachusetts Bay Colony donnèrent lieu à la confiscation, en 1684, de leur charte royale émise par le roi Charles Ier.

En 1691, une nouvelle charte fut attribuée à la Province of Massachusetts Bay qui allait regrouper, jusqu'à la séparation du Maine en 1820, la Plymouth Colony, l'État du Maine et

Cape Cod Canal

Le Cape Cod Canal est né d'un besoin : celui de non seulement diminuer le temps de navigation entre Boston et New York, mais celui de réduire le risque de danger du voyage dans les eaux agitées qui ceinturent le cap. La construction débuta en 1909, mais ce n'est qu'en 1914 qu'il devint opérationnel. D'une longueur de 28 km, il a réduit de 120 km le trajet de bateau reliant New York à Boston. En plus d'être pratique, ce canal, avec ses rives, fait le bonheur des résidants comme des visiteurs : promenades et pistes cyclables ont été aménagées sur ses abords pour égayer le tout.

les îles de Martha's Vineyard et de Nantucket. Les deux îles, jusqu'alors sous l'administration de New York, furent cédées au Massachusetts en 1692. En 1763, la présence des Wampanoags s'éteignit sur Nantucket, à la suite d'une obscure fièvre épidémique.

En 1775, les 13 colonies entrent en guerre contre la Grande-Bretagne. La guerre d'Indépendance, également surnommée Révolution américaine, fut la réponse des colonies à une forte hausse des taxes maintenue par la Couronne britannique malgré les fortes contestations. Durant cette période, les villages côtiers subsistent les assauts répétitifs des Britanniques, qui les attaquent à partir de la mer ou encore les pillent. Falmouth, entre autres, sera à cette époque bombardée de la mer.

Un an après le début de la guerre, les 13 colonies se déclarent indépendantes de la Couronne britannique, le 4 juillet 1776. Le traité de Paris, signé en 1783, mettra fin aux affrontements et la Grande-Bretagne reconnaîtra ce nouveau pays, les États-Unis d'Amérique. En 1788, le Massachusetts est le 6e État à ratifier la Constitution américaine. Nantucket, sous l'influence des quakers, était restée neutre pendant cette guerre.

Disséminés par la fièvre et les affrontements, les Nausets ne sont plus que quatre en 1802. Ils sont rejoints dans la région de Mashpee par des membres d'autres tribus, chassés de leur territoire par les descendants de ceux-là même qu'ils avaient aidés à s'établir.

Changements économiques et modernité

L'industrie de la pêche à la baleine, qui faisait la fortune de plusieurs habitants de Cape Cod et des îles, décline après la guerre de 1812. Cette dernière guerre, qui opposait les États-Unis à la Grande-Bretagne sur le plan maritime, fut particulièrement dévastatrice pour Nantucket, dont plus de la moitié de la flotte baleinière fut coulée, malgré son refus de prendre part au conflit. Au XIX⁰ siècle, alors que la majeure partie du Massachusetts se tourne vers l'ère industrielle, Cape Cod et les îles vivent toujours des produits de la mer. Mais les habitants voient lentement un tourisme prometteur se développer.

L'avènement du chemin de fer sur Cape Cod au milieu du XIX⁰ siècle marque les premiers pas de la région vers une riche industrie touristique. Les vacanciers bostonnais et new-yorkais, à la recherche de l'air plus frais qu'apporte la mer, développèrent sur Cape Cod des lieux de villégiature dignes des plus grosses fortunes de l'époque. Avec l'amélioration des moyens de transport maritime, Martha's Vineyard et Nantucket furent également touchées par cet enthousiasme.

Au cours du XX⁰ siècle, Cape Cod et les îles devinrent une région de villégiature figurant parmi les plus prisées des vacanciers aux États-Unis. Plusieurs célébrités hollywoodiennes cachent aujourd'hui une demeure sur Martha's Vineyard, tandis que l'élite financière peut s'offrir le luxe dispendieux d'un de ces délicieux petits cottages en bardeaux qui bordent les routes de la paisible Nantucket. Cape Cod et les îles, animés de paysages légendaires et dotés du Cape Cod National Seashore, sont dotés d'infrastructures touristiques solides, qui accueillent des millions de visiteurs chaque année.

Population

Le Barnstable County, qui comprend Cape Cod, compte environ 212 500 habitants; le Dukes County, qui abrite Martha's Vineyard, 14 050, et Nantucket County, 8 206. La population de Cape Cod et des îles connaît des écarts importants selon les saisons. Vers la mi-octobre, et ce, jusqu'à la mi-mai, ces lieux de villégiature dont la population peut doubler pen-

Portrait

dant la saison estivale se vident de leurs foules. La ville de Provincetown est reconnue pour sa vie gay trépidante; on vient de partout pour profiter de plusieurs de ses établissement hôteliers de qualité qui sont axés sur la vie gay, de même que pour ses bars qui n'ont rien à envier aux centres urbains.

Les Wampanoags

La présence des Wampanoags sur Martha's Vineyard et Cape Cod a survécu aux épidémies, à l'assimilation ainsi qu'à des nouvelles réalités économiques qui amenèrent une certaine crise identitaire. Les Wampanoags de Cape Cod sont concentrés autour de Mashpee. Après une tentative infructueuse en 1978, ils n'ont pas encore obtenu la reconnaissance de l'État fédéral sur leur statut. Mais, dans la péninsule d'Aquinnah, sur l'île de Martha's Vineyard, les Wampanoags appartiennent désormais à un groupe politique reconnu par le gouvernement fédéral : la Wampanoag Tribe of Gay Head.

L'acte d'établissement d'avril 1987, en plus de reconnaître le caractère distinct de cette nation, visait à lui retourner des terres dont font partie les magnifiques falaises de glaise d'Aquin-

nah. La Wampanoag Tribe of Gay Head est gouvernée par un conseil de bande et elle possède actuellement 193 ha de terres au sud-ouest de Martha's Vineyard. La culture de la Wampanoag Tribe of Gay Head, menacée pendant plusieurs années par la dispersion de ses membres et les nouvelles réalités économiques de la région, continue à s'épanouir sur ses terres ancestrales.

Politique

Cape Cod et les îles sont régis par le système politique des États-Unis et les lois de l'État du Massachusetts. La constitution du Massachusetts est le plus ancien document écrit de ce genre. Neuf ans avant l'adoption de la Constitution américaine, en 1780, alors que la Révolution américaine battait son plein, la constitution du Massachusetts fut ratifiée.

Le gouverneur est le porte-parole du Massachusetts auprès du gouvernement fédéral. Il est à la tête de l'administration de l'État et il est en son pouvoir de recommander de nouvelles lois ou politiques et de faire les changements qui s'imposent dans l'administration des départements.

Le Massachusetts est divisé en 14 comtés *(counties)*. Cape Cod forme le Barnstable County, tandis que Martha's Vineyard, de même qu'Elizabeth Islands, à l'ouest, et Chappaquiddick Island, à l'est, appartiennent au Dukes County. Chacun de ces deux comtés était représenté par trois commissaires de comté *(County Commissioners)* jusqu'en 1985, lorsque la législature d'État *(State legislature)* vota des lois qui permettaient à des comtés, dans certaines circonstances, d'adopter des «lois maison».

Le comté de Barnstable se prononça en faveur d'un peu plus d'autonomie, même si ce «gouvernement de comté», qui n'apparaît pas dans la constitution de l'État, ne possède, bien entendu, qu'un pouvoir décisionnel très limité. Il est désormais gouverné par une assemblée de délégués constituée de 15 membres *(Assembly of Delegates)* de même que par un conseil de commissaires de comté composé de 11 membres *(Board of County Commissioners)*.

Avec Nantucket Town, Tuckernuck Island et Muskeget Island, l'île de Nantucket forme le Nantucket County. Dans ce comté un peu particulier, les conseillers municipaux des cinq villes de

Nantucket tiennent le rôle de commissaires.

Économie

De tout temps, la mer entourant Cape Cod et les îles a été la principale source de subsistance des habitants. L'apport considérable de la mer dans la vie quotidienne se répète un peu partout sur Cape Cod et trouve écho dans celle de Martha's Vineyard et de Nantucket. Les premiers colons à s'installer sur ces terres ingrates se tournèrent également vers les richesses de la mer pour se nourrir et assurer leur essor commercial.

Il en était de même lorsque les Amérindiens étaient seuls maîtres en ces lieux. Les Nausets et les Wampanoags chassaient et cultivaient la terre, mais c'est la mer qui leur fournissait surtout de quoi subsister. Alors que les Nausets initiaient les Pères pèlerins à l'agriculture, les Wampanoags de Martha's Vineyard montrèrent aux nouveaux colons comment pêcher la baleine, la faisant échouer sur les côtes de l'île.

Martha's Vineyard

Aux XVIIIe et XIXe siècles, l'industrie de la pêche à la baleine et celle de la transformation de ce mammifère se développèrent sur Martha's Vineyard. Edgartown a déjà abrité la plus importante fabrique de chandelles à base d'huile de spermaceti au monde.

Vineyard Haven était, dans les années 1800, un port actif puisque la plupart des vaisseaux effectuant le trajet entre la côte est des États-Unis et l'Europe empruntaient le Vineyard Sound. On dénombra le passage de 13 814 navires pour la seule année de 1845.

Un peu partout dans cette région, le déclin de l'industrie maritime frappa au XIXe siècle, notamment celle de la pêche à la baleine à la suite de la découverte de nouveaux combustibles. L'économie de Martha's Vineyard dépend aujourd'hui du tourisme saisonnier, tout comme sa voisine, Nantucket.

Nantucket

Après des débuts commerciaux basés principalement sur la pêche et le commerce de la laine, les environs de 1715 annoncent les premiers pas de Nantucket vers la lucrative pêche à la baleine. Avant la Révolution américaine (1775-1783), cette activité économique avait atteint des sommets considérables et le port de la petite île abritait une flotte de 125 bateaux. De la seconde moitié du XVIIe siècle jusqu'à la fin des années 1830, Nantucket était considérée comme l'un des plus importants centres baleiniers au monde. La guerre de 1812 signa le début du déclin progressif de cette industrie.

Des pêcheurs, devenus chômeurs, décidèrent de quitter leur île pour Cape Cod. Certains mirent même leur maison à la mer pour la faire échouer sur la péninsule voisine, où ils débutèrent une nouvelle vie. On retrouve encore quelques-unes de ces *Nantucket Houses* sur le littoral sud de Cape Cod.

Cape Cod

Le commerce maritime de même que l'industrie de la pêche ont également fait les beaux jours de Cape Cod. On faisait le commerce du rhum à Barnstable, tandis qu'à Harwich on pêchait la baleine et construisait des bateaux.

À Falmouth, le commerce était plus diversifié. Construction navale et pêche à la baleine se mêlaient à l'agriculture et, plus tard, on vit apparaître une manufacture de verre et une de sel. La «récolte» du sel fut vitale pour la survie des troupes étasuniennes dans les conflits qui les opposèrent aux Britanniques. Coupées des vivres provenant de l'extérieur lorsque les Britanniques bloquèrent les ports, les troupes étasuniennes purent compter sur le sel pour conserver la nourriture et ainsi s'alimenter.

Sandwich se dota d'une industrie qui a encore de nos jours des retombées sur la ville : celle du verre. Le Sandwich Glass Museum témoigne de la qualité du verre pressé fabriqué à Sandwich entre 1825 et 1888. Il est extrêmement recherché aujourd'hui.

C'est dans les villes de la côte nord de Cape Cod que la culture des canneberges est devenue de nos jours la seconde industrie en importance après celle du tourisme. Quant à Hyannis, elle demeure l'une des principales zones commerciales du cap. Son port assure le transport des canneberges et du poisson à l'extérieur du cap et sa réputation de lieu de villégiature très prisé n'est plus à faire.

L'Outer Cape fut colonisé par des hommes qui poursuivaient le maquereau. Après la Révolution américaine, Eastham fut dominée par la pêche et le commerce maritime, tandis qu'au XIXe siècle Wellfleet

dominait totalement le commerce des huîtres.

Les activités commerciales de la pêche à la baleine firent de Provincetown, au milieu du XIXe siècle, la plaque tournante de cette industrie. Une flotte importante mouillait dans son port et la ville possédait toutes les infrastructures nécessaires à la transformation et à la conservation du poisson.

L'industrie de la pêche à la baleine déclina à la fin du XIXe siècle, mais l'industrie de la grande pêche, bien que moins importante qu'autrefois, survit toujours. De nombreuses lois régissent cette région et restreignent le nombre de prises, ce qui a permis au tourisme de devancer la pêche comme activité commerciale première, au grand désespoir des pêcheurs. Wellfleet est victime de la même situation. La petite ville de Truro ne survécut que par l'établissement d'une colonie artistique dès le début du XXe siècle, tandis que le tourisme demeure la principale activité économique d'Eastham.

Les cultures agricoles principales de Cape Cod sont les canneberges et les asperges. Le sud du Massachusetts, incluant Cape Cod, fournit la moitié de la production nationale de canneberges.

Aujourd'hui, Cape Cod et les îles vivent principalement de l'industrie touristique, assurée, encore une fois, par la proximité de cette mer qui veille au grain...

Arts et culture

Architecture

L'architecture de Cape Cod et des îles témoigne de quelques centaines d'années d'occupation et, surtout, de l'évolution économique de la région. La plus typique d'entre toutes les habitations, la «maison du cap» (Cape house) appartient à l'époque coloniale. Ce type d'habitation, qui se distingue par la présence d'une cheminée centrale, était en vogue avant la Révolution américaine et s'inspirait des demeures auxquelles les colons étaient habitués en Angleterre. Avec les années, la maison du cap prit trois différentes formes : la «demi-maison», (half house), qui se caractérise par ses deux fenêtres placées d'un même côté de la porte; la maison dite «trois-quarts» (three-quarter house), également surnommée la «maison et demie» (house-and-a-half), qui comporte deux fenêtres d'un côté et une seule de l'autre; finalement, la variante la plus caractéristique

de la maison du cap, la «maison du cap complète» (full Cape house), qui se distingue par sa porte centrale entourée de deux fenêtres (elle était parfois constituée de deux demi-maisons jointes ensemble).

Les premières demeures à deux étages, dites coloniales, datent de la fin du XVIIe siècle. Ce type d'habitation est vraisemblablement une version de la full Cape house à laquelle on a ajouté un étage et qui a conservé sa cheminée centrale.

Le type architectural le plus singulier de cette époque demeure la «boîte à sel» (salt box) dont le plus bel exemple, la Hoxie House, à Sandwich, est également la première construction de ce genre à voir le jour sur le cap, peut-être même en 1637. La boîte à sel se distingue par son toit dissymétrique : le versant arrière descend parfois jusqu'à plus de la moitié du mur, tandis que le versant avant est plutôt court. La particularité de sa forme lui donne des allures de boîte à sel, d'où son appellation. Martha's Vineyard compte peu de boîtes à sel, si ce n'est celles qui furent construites au XXe siècle par les promoteurs immobiliers qui leur trouvaient un air «local».

Après la guerre d'Indépendance américaine, on assiste à l'émergence du premier style architectural typiquement étasunien, le style fédéral. Les demeures fédérales sont construites sur deux étages et sont dotées de cheminées placées aux deux extrémités du toit. Ces élégantes demeures font partie intégrante du paysage de Cape Cod et rappellent les débuts d'une prospérité liée étroitement à la mer. À la fin du XVIIIe siècle, elles abondent sur le territoire de Falmouth et de Sandwich, prédisposées par leur situation géographique à s'imprégner plus rapidement des influences de la terre ferme.

Ce réaménagement du toit mène à l'apparition de demeures de style fédéral souvent connues sous le nom de «maisons de capitaine», qui comportent sur leur faîte une «promenade de veuve» *(widow's walk)* (voir encadré) et, à l'intérieur, des éléments décoratifs rapportés des expéditions en terres lointaines. Le paysage de Nantucket et de Martha's Vineyard se transforme également sous l'influence du style fédéral.

Au début du XIXe siècle, la demeure fédérale gagne l'Outer Cape et Provincetown, pendant que le paysage architectural se mo-

Widow's walk

La *widow's walk* (promenade de veuve) est en fait un belvédère ou une petite terrasse carrée encerclée d'une clôture et construite sur le faîte de certaines demeures côtières de style fédéral.

Les femmes des capitaines alors en mer pouvaient espérer entrevoir le bateau de leur bien-aimé à l'horizon, faisant route vers le port. À cause des nombreux naufrages de l'époque qui rendaient bien souvent vaine l'attente de ces femmes, on donna à ces promenades, d'où la vue sur la mer est magnifique, le triste nom de «promenade de veuve».

difie sous l'influence de la montée du style néogrec *(Greek Revival)*. Frontons et frises rappelant les anciens temples grecs se mêlent aux traits des demeures fédérales et des maisons du cap. Malgré cette nouvelle influence, peu de demeures appartiennent purement au style néogrec.

Gingerbread house

Le milieu du XIXe siècle annonce l'ère victorienne et le faste de ses ornements. Les célèbres maisons tarabiscotées *(gingerbread houses)* d'Oak Bluffs, sur Martha's Vineyard, appartiennent à cette mode architecturale avec leurs tourelles et leurs couleurs vives. Frises de bois, vérandas et toits mansardés font leur apparition sur le cap. De nos jours, pour préserver la beauté de Cape Cod et des îles, la construction immobilière est sévèrement réglementée.

Arts de la scène

De véritables institutions théâtrales se sont installées à Cape Cod avec les années. La proximité des grands centres urbains et la qualité des productions assurent le succès de plus d'une dizaine de théâtres. Comédies musicales, théâtre classique ou moderne, les genres diversifiés et le nombre de représentations surprennent pour un aussi petit territoire.

Il semble que le théâtre fit ses premiers pas à Cape Cod avec la création de la compagnie Provincetown Players. John Reed et Susan Glaspell, entourés d'un groupe d'artistes, fondèrent en 1915 la Provincetown Players, qui allait, avec les années, créer un couloir d'échanges artistiques durable entre Provincetown et New York. Le groupe, qui produisit la première pièce de théâtre d'Eugene O'Neil (voir encadré), attira à Provincetown plusieurs artistes, dont John Dos Passos et l'auteure du poème «Memory of Cape Cod», Edna St. Vincent Millay, poème qui fut lu aux funérailles de Jackie Kennedy Onassis.

Le Cape Playhouse occupe une place bien particulière parmi les institutions théâtrales de la région. Le plus ancien théâtre d'été professionnel des États-Unis a vu passer plusieurs grands noms du cinéma depuis sa création en 1927. Bette Davis, Gregory Peck, Humphrey Bogart et Robert Montgomery ont défilé sur les planches du Cape Playhouse, qui assure, depuis ses débuts, le pont entre Cape Cod et Broadway.

huttes de plage *(dunes shacks)*, et Eugene O'Neil marqua la scène théâtrale de cette ville en ébullition. Le célèbre maître du suspense Mary Higgins Clark fait partie des auteurs possédant une résidence à Cape Cod.

Littérature

On dit de Cape Cod et des îles qu'ils constituent les territoires non urbains produisant le plus d'écrivains et ayant assisté à la naissance du plus grand nombre d' œuvres littéraires aux États-Unis. La proximité des centres intellectuels de Boston et de New York a favorisé cet essor littéraire, tout comme la beauté des paysages a contribué à attirer les créateurs en quête de solitude.

Henry David Thoreau (voir encadré) a tôt fait d'explorer les espaces sauvages de Cape Cod et de décrire ses paysages extraordinaires dans le livre *Cape Cod*, qui allait marquer des générations d'adeptes de la nature.

Les artistes du XXe siècle ne furent pas insensibles aux charmes de l'endroit et, si certains n'étaient que des visiteurs de passage, d'autres adoptèrent la région. Jack Kerouac débarqua à Provincetown et séjourna dans une des célèbres

Peinture

Cape Cod et les îles raviront les amateurs d'art. Des centaines de galeries d'art présentent des œuvres de qualité réalisées par des peintres de la région ou de l'extérieur. Plusieurs artistes ont élu domicile sur le cap ou les îles et leur attachement pour ce coin enchanteur se reflète dans leurs œuvres.

Au dire de plusieurs, la lumière des lieux a quelque chose de magique. D'ailleurs, après avoir assisté à quelques couchers de soleil sur une plage déserte, on comprend que les peintres aient pu être charmés par la luminosité de la région. Tout ici est un sujet potentiel, des dunes au mouvement de la mer en passant par le retour des pêcheurs en fin d'après-midi.

En 1899, le peintre expressionniste Charles Hawthorne fonda, à Provincetown, la Cape Cod School of Art. Plusieurs disciples allèrent le rejoindre dans ce

Le *Cape Cod* de Henry David Thoreau

Natif de Concord, tout près de Boston, Henry David Thoreau (1817-1862) a marqué toute une génération d'intellectuels. Il récolta l'admiration de tous pour avoir eu le courage de vivre selon ses idéaux. Adepte du transcendantalisme, un courant de pensée qui prônait une approche plus intuitive du divin, végétarien, défenseur de l'égalité des sexes comme de celle des races, ses idées jettèrent les bases de plusieurs mouvements sociaux.

Naturaliste autodidacte, Thoreau était un grand amateur de nature et des phénomènes naturels comme le cycle de vie des plantes. C'est son affinité avec la solitude et les grands espaces sauvages qui l'amena sur Cape Cod pour la première fois en 1849.

Les observations issues des quatre voyages de Thoreau sur Cape Cod, accomplis entre 1849 et 1857, sont rassemblées dans un livre d'une grande beauté, *Cape Cod*. Le livre ne parut qu'en 1865, soit trois ans après la mort de son auteur. Les récits du naturaliste sont liés étroitement avec la mer et le cycle de la vie sur le littoral, soit celle des oiseaux migrateurs, de la faune maritime et des habitants du cap.

Le livre est empreint d'un thème cher à Thoreau, déjà développé dans *Walden*, son œuvre la plus connue, à savoir l'intime relation qui unit l'homme et la nature. Cape Cod, encore peu développé à l'époque des visites de Thoreau, constituait la parfaite plate-forme d'observation de la dépendance de l'homme envers la mystérieuse nature. À la fois présentée comme mère nourricière et force destructrice, la mer domine la vie des hommes.

Thoreau est fasciné par la relation d'intimité qu'entretiennent les gens de

Cape Cod avec la mer. Ici, l'homme est conscient de sa faiblesse face aux éléments; les nombreux récits de naufrage dont Cape Cod a été témoin depuis sa colonisation leur rappellent bien.

Pêcheur ou gardien de phare, Thoreau réalise que l'homme de Cape Cod, de par sa dépendance envers la mer, n'a pas renié la force de la nature comme l'a fait l'homme industriel moderne qui, plutôt que de partager son existence avec la nature, ne cherche qu'à la soumettre à ses désirs. Au-delà du caractère mystique de l'œuvre au sein de laquelle la nature est rangée au rang du divin, Thoreau décrit un Cape Cod bien réel, avec ses paysages grandioses, ses phares et ses villes, ainsi qu'une faune et une flore riches et diversifiées.

qui devint l'une des plus importantes colonies artistiques du pays.

Le début de la Première Guerre mondiale signa le départ de plusieurs artistes étasuniens établis à Paris. Plusieurs se replièrent vers l'Amérique, plus précisément à Provincetown, qui avait déjà une réputation favorable auprès de la gent artistique.

Dès le début des années 1930, et ce, pendant une vingtaine d'années, Hans Hofmann gérait une école d'art sur l'Outer Cape. Dans les années 1950, l'expressionnisme abstrait envahit les rues de Provincetown; Jackson Pollock, Robert Motherwell et Franz Kline y vécurent pour un temps. Le Provincetown Art Association and Museum (voir p x), fondé en 1914, abrite plusieurs œuvres d'artistes qui façonnèrent le paysage culturel de Provincetown. Le musée se veut en quelque sorte le gardien de la mémoire artistique de la ville.

Girouette – Harwick

Renseignements généraux

L e présent chapitre a pour but de vous aider à planifier votre voyage, aussi bien avant votre départ qu'une fois sur place. Il renferme plusieurs indications générales qui pourront vous être utiles lors de vos déplacements. Nous vous souhaitons un excellent séjour à Cape Cod.

L 'indicatif régional de Cape Cod, Martha's Vineyard et Nantucket est le **508**.

Formalités d'entrée

Pour entrer aux États-Unis, les Québécois et les Canadiens n'ont pas besoin de visa. Il en va de même pour la plupart des citoyens des pays de l'Europe de l'Ouest. En effet, seul un passeport valide suffit et aucun visa n'est requis pour un séjour de moins de trois mois. Un billet de retour ainsi qu'une preuve de fonds suffisants pour couvrir le séjour peuvent être demandés. Pour un séjour de plus de trois mois, tout voyageur, autre que québécois ou canadien, sera tenu d'obtenir un visa (120$US) à l'ambassade des États-Unis de son pays.

Précaution : les soins hospitaliers étant extrêmement coûteux aux États-Unis, il est conseillé de se munir d'une bonne assurance-maladie (voir p 55).

Avant de quitter la maison, assurez-vous d'avoir en main les documents officiels qui vous permettront d'entrer et de sortir du pays. Car, aussi peu contraignantes que les exigences puissent sembler, sachez que, sans les documents voulus, vous ne pourrez pas voyager à l'intérieur du pays.

Douane

Les étrangers peuvent entrer aux États-Unis avec 200 cigarettes (ou 100 cigares) et des achats en franchise de douane *(duty-free)* d'une valeur de 400$US, incluant les cadeaux personnels et un litre d'alcool (vous devez être âgé d'au moins 21 ans pour avoir droit à l'alcool). Vous n'êtes soumis à aucune limite en ce qui a trait au montant des devises avec lequel vous voyagez, mais vous devrez remplir un formulaire spécial si vous transportez l'équivalent de plus de 10 000$US.

Les médicaments d'ordonnance devraient être placés dans des contenants clairement identifiés à cet effet (il se peut que vous ayez à produire une ordonnance ou une déclaration écrite de votre médecin à l'intention des officiers de douane. La viande et ses dérivés, les denrées alimentaires de toute nature, les graines, les plantes, les fruits et les narcotiques ne peuvent être introduits aux États-Unis.

Si vous décidez de voyager avec votre chien ou votre chat, il vous sera demandé un certificat de santé (document fourni par votre vétérinaire) ainsi qu'un certificat de vaccination contre la rage. Attention, cette vaccination devra avoir été faite au moins 30 jours avant votre départ et ne pas devra dater de plus d'un an.

Pour de plus amples renseignements, adressez-vous au :

United States Customs Service
1301 Constitution Ave. NW
Washington, DC 20229
☎ *(202) 566-8195*

Ambassades et consulats

À l'étranger

CANADA
Consulat
1155 rue Saint-Alexandre
Montréal (Québec) H2Z 1Z2
☎ *(514) 398-9695*

Ambassade
2 Wellington St., Ottawa,
Ontario K1P 5T1
☎*(613) 238-5335*
⇌*(613) 238-5720*

FRANCE
Ambassade
2 av. Gabriel
75382 Paris Cedex 8
☎*01. 42.96.12.02*
☎*01.42.61.80.75*
⇌*(33) 01.42.66.97.83*

Consulat
22 cours du Maréchal Foch
33080 Bordeaux Cedex
☎*04.56.52.65.95*
⇌*04.56.44.82.22*

Consulat
12 boul. Paul Peytral
13286 Marseille Cedex 06
☎*04.91.54.92.00*
☎*04.91.54.92.01*
⇌*04.91.55.09.47*

Consulat
15 av. d'Alsace
67082 Strasbourg Cedex
☎*(3) 88.35.31.04*
⇌*(3) 88.24.06.95*

BELGIQUE
Ambassade
27 boul. du Régent
B-1000 Bruxelles
☎*(2) 508-2111*
⇌*(2) 511-2725*

ESPAGNE
Ambassade
Serano 75
28006 Madrid
☎*(1) 577-4000*
⇌*(1) 564-1652*
telex *(1) 277-63*

LUXEMBOURG
Ambassade
22 boul. Emmanuel Servais
2535 Luxembourg
☎*(352) 46-01-23*
⇌*(352) 46-14-01*

SUISSE
Ambassade
Jubilaeumstrasse 93
3000 Berne
☎*(41) 31-43-70-11*

ITALIE
Ambassade
Via Veneto 119/A
00187 Roma
☎*(39) 1-688-777*
⇌*610-450*

Aux États-Unis

Les ambassades et consulats peuvent fournir une aide précieuse aux visiteurs qui se trouvent en difficulté (par exemple en cas d'accident ou de décès, fournir le nom de médecins ou d'avocats, etc.). Toutefois, seuls les cas urgents sont traités. Il faut noter que les coûts relatifs à ces services ne sont pas défrayés par les missions consulaires.

Renseignements généraux

Belgique

Ambassade de Belgique
3330 Garfield Street NW
Washington, DC 20008
☎(202) 333-6900

Canada

Ambassade du Canada
501 Pennsylvania Avenue NW
Washington, DC 20001
☎(202) 682-1740

Espagne

Ambassade d'Espagne
2375 Pennsylvania Avenue NW
Washington, DC
☎(202) 452-0100

France

Ambassade de France
4101 Reservoir Road NW
Washington, DC 20007
☎(202) 944-6000
⇌(202) 944-6166

Suisse

Ambassade de Suisse
2900 Cathedral Avenue NW
Washington, DC 20008
☎(202) 745-7900

Italie

Ambassade d'Italie
5301 Wisconsin Avenue NW
Washington, DC 20009
☎(202) 966-3754

Renseignements touristiques

Cape Cod

Cape Cod Chamber of Commerce
à la jonction des routes 6 et 132
Hyannis, MA 02601
☎862-0700 ou 888-33-CAPECOD
⇌862-0727
www.capecodchamber.org

Cap Cod Canal Region Chamber of Commerce
70 Main St.
Buzzards Bay
☎759-6000
⇌759-6965

Falmouth Chamber of Commerce
20 Academy Lane
Falmouth
☎548-8500 ou 800-526-8532
⇌548-8521
www.falmouth-capecod.com

Hyannis Area Chamber of Commerce
1481 Rte. 132
Hyannis
☎362-5230 ou 888-HYANNIS
⇌362-9499
www.hyannischamber.com

Yarmouth Area Chamber of Commerce
657 Rte. 28
West Yarmouth
☎778-1008 ou 800-732-1008
www.yarmouthcapecod.com

Harwich Chamber of Commerce
550 Main St./Rte. 28
Harwich Port
☎*432-1600 ou 800-441-3199*

Orleans Chamber of Commerce
Eldredge Parkway
Orleans
☎*255-1386 ou 800-865-1386*
⇒*255-2774*
www.capecod-orleans.com

Eastham Chamber of Commerce
US 8, Fort Hill
Eastham
☎*240-7211*
⇒*240-0345*
www.easthamchamber.com

**Wellfleet Chamber
of Commerce**
près de US 6
South Wellfleet
☎*349-2510*
www.capecod.net/wellfleetcc

**Provincetown Chamber
of Commerce**
307 Commercial St.
Provincetown, MA 02657
☎*487-3424*
www.ptownchamber.com

Martha's Vineyard

**Martha's Vineyard Chamber of
Commerce**
Beach Rd., Vineyard Haven
☎*693-0085*
www.mvy.com

Nantucket

**Nantucket Island Chamber of
Commerce**
48 Main St.
☎*228-1700*
www.nantucketchamber.org

**Nantucket Visitor Services and
Information Bureau**
25 Federal St.
☎*228-0925*

Tours guidés

Cape Cod

Provincetown

Art's Dune Tours
angle Commercial St. et Standish St.
☎*487-1950 ou 800-894-1951*
www.artsdunetours.com
Si les dunes de Province-
town vous fascinent, faites
une visite organisée avec
Art's Dune Tours, qui vous
racontera les histoires des
écrivains venus chercher,
dans les *dune shacks* du
National Seashore, l'inspi-
ration pour leurs œuvres.
Cette même agence de
tourisme propose égale-
ment des visites au lever et
au coucher du soleil, ainsi
qu'au clair de lune.

Willie Air Tours
Provincetown Municipal Airport
☎*487-0240*
Le Stinson Detroiter Airliner
de 1930 de Willie Air Tours

vous fera découvrir un tout autre aspect de Provincetown, vue de haut.

Provincetown Trolley
aux demi-heures,
entre 10h et 16h
☎487-9483
www.provincetowntrolley.com
Pour une visite commentée de Provincetown d'une quarantaine de minutes, le *trolley* prend les passagers sur Commercial Street, au Town Hall.

Hyannis

Cape Cod Central Railroad
mar-dim, fin mai à oct
départs 10h, 12h30 et 15h
252 Main St.
☎771-3800 ou 888-797-7245
www.capetrain.com
Une promenade de deux heures à bord du train vous fera découvrir les paysages entre Hyannis et le Cape Cod Canal. Des guides accompagnent les groupes.

Martha's Vineyard

Martha's Vineyard Sightseeing
13,50$
tlj sauf en hiver
Circuit Ave. Ext., Oak Bluffs
☎627-8687
www.mvtour.com
Cette entreprise propose des visites commentées d'une heure dans quatre localités de l'île, avec une halte «exploration-achats» de 1 heure 30 min à Edgartown.

Nantucket

Nantucket Island Tours
13$
Straight Wharf
☎228-0334

Montez à bord d'un petit autobus pour visiter les attraits historiques de Nantucket.

Walk Nantucket
10$
en saison lun-sam 13h
☎221-0075

Dick Gardiner Roggeveen est un habitant de Nantucket de 12e génération. On reconnaît volontiers qu'il propose la meilleure visite à pied de l'île, aussi bien historique qu'anecdotique.

Vos déplacements

En avion

Cape Cod

Cape Cod se situe à environ 125 km de deux aéroports importants, soit le Logan Airport de Boston et le T.F. Airport au Rhode Island, près de Providence.

La compagnie d'aviation **Cape Air** (☎771-6944 ou 800-352-0714, *www.flycapeair.com*) propose des vols vers le **Barnstable Municipal Airport**

Tableau des distances (km/mi)

par le chemin le plus court

1 mille = 1,62 kilomètre
1 kilomètre = 0,62 mille

										Augusta (ME)		**Augusta (ME)**
									Boston (MA)	266/165		**Boston (MA)**
								Bridgeport (CT)	257/159	511/317		**Bridgeport (CT)**
							Burlington (VT)	481/298	366/227	362/224		**Burlington (VT)**
						Concord (MA)	355/220	250/155	30/19	275/171		**Concord (MA)**
					Hartford (CT)	160/99	388/241	95/59	168/104	417/259		**Hartford (CT)**
				Montréal (QC)	542/336	500/310	151/94	583/361	509/316	488/303		**Montréal (QC)**
			New York (NY)	619/384	193/120	347/215	508/315	99/61	354/219	609/378		**New York (NY)**
		Ogunquit (ME)	463/287	494/306	273/169	133/82	347/215	365/226	121/75	151/94		**Ogunquit (ME)**
	Portland (ME)	57/35	519/322	474/294	328/203	190/118	405/251	419/260	176/109	90/56		**Portland (ME)**
Portsmouth (NH)	84/52	25/16	438/272	493/306	247/153	109/68	345/214	341/211	93/58	175/109		**Portsmouth (NH)**
Providence (RI)	174/108	256/159	201/125	300/186	582/361	142/88	93/58	437/271	204/126	79/49	348/216	**Providence (RI)**
Provincetown (MA)	196/122	285/177	364/226	310/192	497/308	**698/433**	336/208	220/136	554/343	403/250	192/119	454/281	**Provincetown (MA)**

Exemple : la distance entre Montréal (QC) et Provincetown (MA) est de 698 km / 433 mi

(Hyannis, ☎ 775-2020) à partir de Boston et de Providence, ainsi que vers le **Provincetown Airport** *(☎487-0241)* à partir de Boston.

US Airways Express *(☎800-428-4322, www.usairways.com)* relie les mêmes aéroports, à partir de Boston et de New York.

Martha's Vineyard

Le **Martha's Vineyard Airport** se trouve dans les environs de West Tisbury, près du centre de l'île. Il accueille à longueur d'année des vols réguliers en provenance de Boston, Hyannis, Nantucket, New Bedford et Providence (Rhode Island). **Cape Air** *(☎800-352-0714, www.fly-capeair.com)* est la principale compagnie aérienne à relier toutes ces villes, tandis qu'**USAir Express** *(☎800-428-4322)* dessert Martha's Vineyard au départ de New York, Philadelphie et Washington, DC. À l'aéroport même, vous trouverez facilement des taxis, des voitures de location et un service de transport en commun.

Nantucket

Le **Nantucket Memorial Airport** *(www.nantucketairport.com)* est le deuxième aéroport en importance du Massachusetts, et il accueille également des vols tout au long de l'année. Au départ des grandes villes du continent, comptez payer entre 100$ et 300$, selon votre provenance (il va sans dire que les prix varient en fonction de la distance à parcourir). De Boston, le service est assuré par **American Eagle** *(☎800-433-7300)*, **USAir Express** *(☎800-428- 4322)* et **Cape Air** *(☎800-352-0714)*, qui s'envole aussi de Providence (Rhode Island). De Hyannis, ce sera plutôt **Island Airlines** *(☎800-248-7779)* ou **Nantucket Airlines** *(☎800-635-8787)*, tandis qu'à Martha's Vineyard vous aurez le choix entre Cape Air, USAir Express et **Continental Express** *(☎800-352-0280)*. Vous trouverez à l'aéroport des taxis pour la ville de Nantucket.

En voiture

Cape Cod

Cape Cod est situé à deux heures de voiture de Boston. Pour s'y rendre, il faut prendre l'autoroute I-93, puis la Route 3, qui conduit au Sagamore Bridge, d'où l'on accède à l'autoroute US 6 (Mid-Cape Hwy.). Cette autoroute à quatre voies traverse la presqu'île jusqu'à Provincetown. Pour un parcours plus tranquille, agrémenté d'un paysage côtier idyllique, il faut suivre la 6A (Old King's Hwy.), qui relie Sandwich et Orleans en passant par les petits villages qui forment le nord du littoral de Cape Cod. Cette option ne prévaut que si vous avez suffisamment de temps, car, contrairement à la US 6, il fait bon flâner sur la route du «vieux roi».

Si vous arrivez des villes situées au sud de Cape Cod (Providence, New York) ou si encore vous vous dirigez vers Falmouth, vous devez emprunter le Bourne Bridge, le second pont qui enjambe le Cape Cod Canal. La Route 28 vous mènera jusqu'à Falmouth, à moins que vous ne préfériez emprunter son pendant panoramique, la Route 28A. De Falmouth, la Route 28 bifurque en direction est et longe le littoral sud pour se terminer, elle aussi, à Orleans. Malheureusement, cette section est bordée de minigolfs, d'hôtels de tout acabit et de restaurants sans charme. Ce spectacle décevant se termine à Harwich. Enfin, entre Orleans et Provincetown, une seule route possible : l'autoroute US 6.

Circulation

Attention au retard que peut causer la congestion spectaculaire des deux ponts donnant accès au cap les vendredis et dimanches après-midi, et ce, de la fin mai (Memorial Day) jusqu'à la mi-octobre (Columbus Day). Si vous avez le choix, suivez l'exemple des résidants et abstenez-vous de circuler pendant les fins de semaine. Plusieurs aires de stationnement payant sont mises à la disposition des visiteurs qui désirent plutôt utiliser le transport en commun une fois rendus à Cape Cod.

Stationnement

Même si la voiture offre généralement beaucoup de liberté, il peut en être autrement une fois à Cape Cod. D'abord, la plupart des espaces de stationnement non payants sont réservés à l'usage des résidants et les visiteurs doivent payer un tarif quotidien variant entre 5$ et 10$. De plus, il s'avère dispendieux de se rendre à Martha's Vineyard et à Nantucket avec son véhicule.

Certaines localités offrent des services de transport en commun extrêmement abordables et le vélo demeure une des options intéressantes pour explorer Cape Cod sans souci. Les rues de Provincetown sont quasiment impraticables en voiture, tant elles sont étroites et envahies par les vacanciers.

Martha's Vineyard

Bien que Martha's Vineyard soit plus grande que Nantucket, la circulation automobile y demeure pénible, de sorte que nous vous encourageons à laisser votre véhicule à l'embarcadère du traversier qui relie le continent à l'île. Si vous projetez tout de même de vous rendre sur l'île en voiture, sachez que vous devez réserver votre place des mois à l'avance auprès de la **Steamship Authority** (☎477-8600).

Nantucket

Vous n'aurez pas besoin de voiture sur Nantucket; tout comme sur Martha's Vineyard, il est même déconseillé d'y circuler en véhicule automobile. Mais s'il vous faut malgré tout un véhicule, sachez que plusieurs entreprises de l'île louent des voitures, des minifourgonnettes et des tout-terrain, sans bien sûr oublier les vélomoteurs.

Quelques conseils

Vols dans les voitures

Lorsque vous stationnez votre véhicule pour un moment, veillez à bien vérouiller toutes les portes, bien sûr, mais aussi à ne rien laisser à la vue à l'intérieur. Une veste ou un manteau par exemple pourrait donner envie à un voleur d'aller vérifier qu'un porte-feuille se trouve dans l'une des poches. Les serrures des voitures n'ont aucun secret pour les voleurs professionnels, donc soyez prudent.

Laissez toujours la boîte à gants ouverte; ainsi, on n'imaginera pas que votre appareil photo s'y trouve.

Laissez vos bagages à l'hôtel pour faire vos balades même si vous avez déjà quitté votre chambre. On acceptera généralement de les garder pour vous à la réception.

Location de voitures

De nombreuses agences de voyages travaillent avec les firmes les plus connues (Avis, Budget, Hertz et autres) et offrent des promotions avantageuses, souvent accompagnées de primes (par exemple : réductions pour spectacles).

Vérifiez si le contrat comprend le kilométrage illimité ou non et si l'assurance proposée vous couvre complètement (accident, frais d'hospitalisation, passagers, vol de la voiture et vandalisme).

En général, les meilleurs tarifs sont obtenus en réservant à l'avance, aux centrales de réservation internationales des différentes firmes, même pour prendre une voiture dans votre propre ville. Afin de garantir le tarif qui vous est proposé par téléphone, faites-vous envoyer une confirmation par télécopieur.

Il faut avoir un minimum de 21 ans et posséder son permis depuis **au moins un an** pour louer une voiture. De plus, si vous avez entre 21 et 25 ans, certaines firmes (ex. : Avis, Thrifty, Budget) vous imposeront une franchise collision de 500$ et parfois un supplément journalier. À partir de l'âge de 25 ans, ces conditions ne s'appliquent plus.

Une carte de crédit est indispensable pour le dépôt de la garantie si vous ne voulez pas bloquer d'importantes sommes d'argent.

Dans la majorité des cas, les voitures louées sont dotées d'une transmission automatique. Vous pouvez, si vous le préférez, demander une manuelle. Les sièges de sécurité pour enfants sont en supplément dans la location.

Quelques entreprises de location de voitures ont des bureaux dans les principales villes.

Cape Cod

Budget
10 N. Main St.
Falmouth
☎*457-4766 ou 800-527-0700*
Barnstable Municipal Airport/Route 132, Hyannis

☎*771-2744 ou 800-527-0700*
Provincetown Municipal Airport
Provincetown
☎*487-4557 ou 800-848-8005*

National Car Rental
14 Depot Ave.
Falmouth
☎*548-1303 ou 800-227-7368*
Barnstable Municipal Airport
Hyannis
☎*771-4353*

Trek Rent a Car
70 Center St.
Hyannis
☎*771-2459 ou 800-776-8735*
www.capecod.com/trek

Martha's Vineyard

Pour louer une voiture, vous pouvez vous en remettre à **Budget** (☎*693-1911*) ou à **Thrifty** (☎*693-1959*), qui ont toutes deux des bureaux à Vineyard Haven, à Oak Bluffs, à Edgartown et à l'aéroport. Il est en outre possible de louer des vélomoteurs auprès de nombreuses entreprises de Vineyard Haven et Oak Bluffs pour environ 40$ par jour; il s'agit là d'une façon intéressante de visiter certains des attraits les plus reculés de l'île.

Nantucket

Budget
☎*228-5666*

Thrifty
☎*325-4616*

Renseignements généraux

Affordable Rentals
6 South Beach St.
☎*228-3501*
Outre des voitures de tourisme et des véhicules à quatre roues motrice, cette entreprise loue de petits vélomoteurs jaunes à 60$ par jour.

Location d'autocaravanes

La location d'une autocaravane, bien qu'assez coûteuse, permet de découvrir de façon agréable la grande nature. Tout comme pour l'automobile, la solution du forfait acheté auprès d'un voyagiste peut être plus avantageuse.

N'oubliez pas cependant qu'à cause de la demande et de la durée assez courte de la bonne saison il faut absolument réserver très tôt pour avoir un bon choix. Si vous partez pour l'été, il faudra que vous réserviez au plus tard en janvier ou en février.

N'oubliez pas de bien analyser la couverture d'assurance, car ce type de véhicule est très onéreux. Assurez-vous que les ustensiles de cuisine ainsi que la literie sont inclus dans le prix de la location.

En autocar et en transport en commun

Cape cod

Il est complexe de s'y retrouver en fait d'autocar sur Cape Cod. Différentes compagnies, privées ou publiques, se partagent ce petit territoire. Elles sont toutes reliées entre elles à un moment de leur parcours respectif.

Les vacanciers sans voiture voudront se procurer l'indispensable *Cape & Islands Smart Guide* (gratuit; ☎*888-33-CAPECOD, www. smartguide.org*), une véritable mine d'informations pour s'y retrouver dans le labyrinthe du transport sur la péninsule, que ce soit terrestre, aérien ou maritime.

De Boston et du Logan Airport, **Plymouth & Brockton** *(à Hyannis, ☎771-6191, www.p-b.com)* assure la liaison vers Hyannis et Provincetown, avec arrêts à Harwich, Orleans, Eastham, Wellfleet et Truro.

De Boston, du Logan Airport, de Providence et du T.F. Green Airport, au Rhode Island, **Bonanza Bus** *(☎888-751-8800, www.bonanzabus.com)* se rend à Woods Hole, Falmouth et Hyannis.

Entre Falmouth et Hyannis, les visiteurs peuvent compter sur les services de **Sealine Bus** *(1$-3,50$; lun-sam;* ☎*385-8326 ou 800-352-7155, www.allcapecod.com/ccrta).* De mai à septembre, ce service est relié au Falmouth Mall avec le **WHOOSH Trolley** *(1$),* qui poursuit sa route jusqu'à Woods Hole, où accoste le traversier à destination de Martha's Vineyard.

The Villager Bus *(1$; lun-sam;* ☎*385-8326 ou 800-352-7155, www.capecodtransit.org)* relie Hyannis à Barnstable Village. La **H₂OLine** *(1$-3,50$)* dessert la partie est de Cape Cod, de Hyannis à Orleans, en passant par Yarmouth, Dennis, Harwich et Chatham.

À Provincetown, les visiteurs peuvent compter sur **The Shuttle** *(1$; mi-juin à mi-sept tlj;* ☎*385-8326 ou 800-352-7155),* qui relie le centre-ville de Provincetown à la Herring Cove Beach en raccordant tous les attraits. Ce service s'étend jusqu'à North Truro pour se terminer au Plymouth & Brockton Bus Stop.

Martha's Vineyard

La **Martha's Vineyard Transit Authority** *(5$ laissez-passer d'une journée;* ☎*627-7448, www.vineyardtransit.com)*

exploite un service d'autobus régulier sillonnant l'île tout entière. La plupart des lignes sont en service de mai ou juin à octobre.

Nantucket

Nantucket offre, en été, un solide réseau de transport en commun, la **Nantucket Regional Transit Authority** *(*☎*325-0788, www. nantucket.net/trans/nrta)* dépêchant ses autobus jusque dans les moindres recoins de l'île. En dehors de la saison estivale, le service ralentit toutefois jusqu'à être complètement suspendu.

En traversier

Cape Ann/ Provincetown

Provincetown Boat Express
45$
mi-juin à mi-sept
Rose's Wharf, 415 Main St.
Gloucester
☎*(978) 283-5110*
www.caww.com/ provincetownferry
Service rapide entre Gloucester et Provincetown.

Boston / Provincetown

Bay State Cruise Company
18$ aller simple
30$ aller-retour
mi-juin à début sept
164 Northern Ave., Boston
☎ *(617) 748-1428*
≈ *(617) 748-1425*
Passagers seulement, service rapide ou régulier entre Boston et Provincetown.

Boston Harbor Cruises
25$ aller simple, 45$ aller-retour, incluant l'admission au Whydah Museum
début mai à début oct
☎ *(617) 227-4321*
☎ *800-SEE-WHALE*
www.bostonharborcruises.com
Passagers seulement, de Boston Harbor à Provincetown en 90 min.

Plymouth / Provincetown

Capt. John Boat Lines
16$ aller simple
26$ aller-retour
mai à sept
☎ *747-2400 ou 800-242-2469*
www.provincetownferry.com
Passagers et vélos de Plymouth Harbor au MacMillan Wharf de Provincetown.

Falmouth / Martha's Vineyard

Island Queen
10$ aller-retour
passagers seulement
mai à oct tlj
Falmouth Harbor
☎ *548-4800*
www.islandqueen.com
L'*Island Queen* met 35 min à atteindre Oak Bluffs.

Falmouth Ferry Service
22$ aller-retour
passagers seulement
mai à oct, fin mai à début juin et début sept à début oct fin de semaine seulement, juin à sept tlj
278 Scranton Ave.
☎ *548-9400*
Le Falmouth Ferry Service dessert Edgartown en une heure environ.

Woods Hole / Martha's Vineyard

Steamship Authority
voitures 104$ aller-retour en été
passagers 10$ aller-retour
Steamship Authority Pier en retrait de Main St.
☎ *548-3788*
www.steamshipauthority.com
Les seuls traversiers à prendre des véhicules motorisés à leur bord, et à desservir l'île toute l'année, sont ceux de la **Steamship Authority**, au départ de Woods Hole. La traversée vers Vineyard Haven et Oak

Bluffs (l'été seulement) est de 45 min.

Hyannis / Martha's Vineyard

Hy-Line Cruises
25$ aller-retour
passagers seulement
mai fin de semaine seulement
juin à oct tlj
Ocean St. Dock
☎778-2602
www.hy-linecruises.com
Hy-Line Cruises se rend à Oak Bluffs en 1 heure 30 min.

New Bedford / Martha's Vineyard

Schamonchi
17$ aller-retour
passagers seulement
mai à oct tlj
en retrait de la rte 18
☎997-1688
www.mvferry.com
Le *Schamonchi* met 1 heure 30 min à atteindre Vineyard Haven.

Nantucket / Martha's Vineyard

Hy-Line Cruises
☎693-0112
Hy-Line Cruises offre un service saisonnier entre les deux îles *(25$ aller-retour)*. Le traversier part de Nantucket Harbor et arrive à Oak Bluffs.

New London (Connecticut) / Martha's Vineyard

Fox Navigation
59$ aller-retour
passagers seulement
mai à oct ven-lun
New London Ferry Terminal
☎888-SAILFOX
www.foxnavigation.com
Fox Navigation dessert Vineyard Haven.

Hyannis / Nantucket

Hy-Line Cruises *(☎228-3949, www.hy-linecruises.com)* possède deux catamarans rapides *(55$ aller-retour, passagers seulement; toute l'année)* qui effectuent la traversée en une heure environ, de même qu'un traversier plus lent *(24$ aller-retour, passagers seule-ment; mai à oct)* qui met deux heures à effectuer le même trajet.

La **Steamship Authority** *(passa-ger 25$ aller-retour, voiture 316$ l'été ou 194$ le prin-temps, South St. Dock, ☎477-8600, www.steamshi-pauthority.com)* propose des traversées quotidiennes, et ses navires sont les seuls à prendre des véhicules mo-torisés à leur bord. La durée du voyage est de plus de deux heures, et il faut ré-server des mois à l'avance pour traverser avec une voiture en été. La Steamship

Authority exploite en outre le *Flying Cloud* (*42$ aller-retour, passagers seulement; mai à jan*), qui ne met qu'une heure à effectuer la traversée.

Harwich Port / Nantucket

Freedom Cruise Line
39$ aller-retour
passagers seulement
mai à oct
702 Main St.
☎*432-8999*
Freedom Cruise Line vous emmène sur l'île en 1 heure 30 min environ.

Services financiers

Monnaie

L'unité monétaire des États-Unis est le dollar ($US), lui-même divisé en cents. Un dollar = 100 cents.

Il existe des billets de banque de 1, 5, 10, 20, 50 et 100 dollars, de même que des pièces de 1 (*penny*), 5 (*nickel*), 10 (*dime*) et 25 (*quarter*) cents.

Les pièces d'un demi-dollar et le dollar solide sont très rarement utilisés. Sachez qu'aucun achat ou service ne peut être payé en devises étrangères aux États-Unis. Songez donc à vous procurer des chèques de voyage en dollars américains. Vous pouvez également utiliser toute carte de crédit affiliée à une institution américaine, comme Visa, MasterCard, American Express, la Carte Bleue, Interbank et Barclay Card.

Il est à noter que tous les prix mentionnés dans le présent ouvrage sont en dollars américains.

Banques

Il existe de nombreuses banques, et la plupart des services courants sont rendus aux touristes. Le retrait de votre compte à l'étranger constitue une solution coûteuse, car les frais de commission sont élevés. Par contre, plusieurs guichets automatiques accepteront votre carte de banque européenne ou canadienne, et vous pourrez alors faire un retrait de votre compte directement.

Change

La plupart des banques changent facilement les devises européennes et canadiennes, mais presque toutes demandent des **frais de change**. En outre, vous pouvez vous adresser à des bureaux ou comptoirs de change qui, en général, n'exigent aucune commission. Ces bureaux ont souvent des heures d'ouverture plus longues. La règle à retenir : **se renseigner et comparer**.

Chèques de voyage

Il est toujours plus prudent de garder une partie de votre argent en chèques de voyage. Ceux-ci sont parfois acceptés dans les restaurants, les hôtels ainsi que certaines boutiques. En outre, ils sont facilement échangeables dans les banques et les bureaux de change du pays. Il est conseillé de garder une copie des numéros de vos chèques dans un endroit à part, car, si vous les perdez, la compagnie émettrice pourra vous les remplacer plus facilement et plus rapidement. Cependant, ne comptez pas seulement sur eux et ayez toujours des espèces sur vous.

Cartes de crédit

La carte de crédit est acceptée un peu partout, tant pour les achats de marchandise que pour la note d'hôtel ou l'addition au restaurant. Son avantage principal réside surtout dans l'absence de manipulation d'argent, mais également dans le fait qu'elle vous permettra (par exemple lors de la location d'une voiture) de constituer une garantie et d'éviter ainsi un dépôt important d'argent. De plus, le taux de change est généralement plus avantageux. Les plus utilisées sont Visa, MasterCard et American Express.

Vous pouvez également utiliser toute carte de crédit affiliée à une institution américaine comme la Carte Bleue, Interbank et Barclay Card.

Renseignements généraux

Taux de change

1$US	=	1,55$CAN	1$CAN	=	0,65$US
1$US	=	1,07€ (euro)	1€ (euro)	=	0,94$US
1$US	=	7,01FF	1FF	=	0,14$US
1$US	=	1,64FS	1FS	=	0,61$US
1$US	=	43,08FB	10FB	=	0,23$US
1$US	=	177,69PTA	100PTA	=	0,56$US
1$US	=	2 067,78LIT	1 000LIT	=	0,48$US

La carte de crédit représente aussi un bon moyen d'éviter les frais de change. Ainsi, on peut surpayer sa carte et faire ensuite des retraits directement à partir de celle-ci. Cette procédure évite de transporter de grandes quantités d'argent liquide ou des chèques de voyage. Les retraits peuvent se faire directement d'un guichet automatique si vous possédez un numéro d'identification personnel (NIP) pour votre carte.

Guichets automatiques

Plusieurs banques offrent le service de guichets automatiques pour le retrait d'argent. La plupart font partie des réseaux Cirrus et Plus, permettant aux visiteurs de retirer directement dans leur compte personnel. Vous pouvez alors vous servir de votre carte comme vous le faites normalement, des reçus vous seront remis et l'on prélèvera le montant équivalent dans votre compte. Et ce, sans prendre plus de temps que si vous étiez à votre propre banque! Cela dit, le réseau peut parfois éprouver des problèmes de transmission qui vous empêcheront d'obtenir de l'argent. Si votre transaction est refusée au guichet d'une banque, essayez une autre banque, car il se pourrait que vous y

soyez plus chanceux. Toutefois veillez à ne pas vous retrouver les mains vides

Climat et habillement

L'une des caractéristiques de la Nouvelle-Angeleterre par rapport à l'Europe est que les saisons y sont très marquées. Les températures peuvent monter au-delà de 30°C en été et descendre en deçà de -25°C en hiver. Si vous visitez le Massachusetts durant chacune des deux saisons «principales» (été et hiver), il pourra vous sembler avoir visité deux pays totalement différents.

Souvenez-vous aussi que Cape Cod et les îles sont exposés aux vents de la mer souvent forts et frais.

Habillement

En raison des excès du climat, il convient de bien choisir ses vêtements en fonction de la saison.

Hiver

Apportez un manteau de préférence long et avec un capuchon. Dans le cas contraire, n'hésitez pas à vous acheter un bonnet ou des «oreilles».

Été

Munissez-vous de t-shirts, de chemises et de pantalons légers, de shorts et de lunettes de soleil; un tricot est souvent nécessaire en soirée.

Printemps-automne

Pour ces saisons d'entre-deux, sont à la fois conseillés chandail, tricot et écharpe, sans oublier le parapluie.

Santé

Pour les personnes en provenance d'Europe, du Québec et du Canada, aucun vaccin n'est nécessaire pour entrer aux États-Unis. D'autre part, il est vivement recommandé, en raison du prix élevé des soins, de souscrire à une bonne assurance maladie-accident. Emportez vos médicaments, surtout ceux qui exigent une ordonnance. Sauf indication contraire, l'eau est potable partout en Nouvelle-Angleterre.

Méfiez-vous des fameux coups de soleil. Même si la journée est plutôt tristounette, lorsque souffle le vent, il arrive fréquemment qu'on ne ressente pas les brûlures causées par le soleil. N'oubliez pas votre crème solaire!

Plages

Aussi attirants que puissent être les chauds rayons du soleil, ils peuvent être la cause de bien des petits ennuis. Pour profiter au maximum de ses bienfaits sans souffrir, veillez à toujours opter pour une crème solaire qui vous protège bien (indice de protection 15 pour les adultes et 25 pour les enfants) et à l'appliquer de 20 à 30 min avant de vous exposer. Toutefois, même avec une bonne protection, une trop longue période d'exposition, au cours des premières journées surtout, peut causer une insolation, provoquant étourdissement, vomissement, fièvre, etc.

N'abusez donc pas du soleil. Un parasol, un chapeau et des lunettes de soleil de qualité sont autant d'accessoires qui vous aideront à contrer les effets néfastes du soleil tout en profitant de la plage. Cependant, souvenez-vous que le sable et l'eau peuvent réfléchir les rayons et causer des coups de soleil même si vous êtes à l'ombre!

Renseignements généraux

Portez des vêtements amples et clairs en évitant qu'ils soient faits de fibres synthétiques, les tissus idéaux étant le coton et le lin.

Quelques douches par jour aideront à éviter les coups de chaleur. Ne faites pas d'effort inutile pendant les heures les plus chaudes de la journée. Et surtout, buvez, buvez et buvez de l'eau! Si votre nourriture est déjà salée, il est inutile d'y ajouter excessivement du sel pour éviter la déshydratation.

Le décalage horaire et le mal des transports

L'inconfort dû à un décalage horaire important est inévitable. Quelques trucs peuvent aider à le diminuer, mais rappelez-vous que le meilleur moyen de passer à travers est de donner à son corps le temps de s'adapter. Vous pouvez même commencer à vous ajuster à votre nouvel horaire petit à petit avant votre départ et à bord de l'avion. Mangez bien et buvez beaucoup d'eau. Il est fortement conseillé de vous forcer dès votre arrivée à vivre à l'heure du pays. Restez éveillé si c'est le matin et allez dormir si c'est le soir. Votre organisme s'habituera ainsi plus rapidement.

Pour minimiser le mal des transports, évitez autant que possible les secousses et gardez les yeux sur l'horizon (par exemple, asseyez-vous au milieu d'un bateau ou à l'avant d'une voiture ou d'un autobus). Mangez peu et des repas légers, aussi bien avant le départ que pendant le voyage. Différents accessoires et médicaments peuvent aider à réduire les symptômes comme la nausée. Un bon conseil : essayez de relaxer et de penser à autre chose!

La trousse de santé

Une petite trousse de santé permet d'éviter bien des désagréments. Il est bon de la préparer avec soin avant de quitter la maison. Il peut être malaisé de trouver certains médicaments dans les petites villes. Veillez à emporter une quantité suffisante de tous les médicaments que vous prenez habituellement, ainsi qu'une ordonnance valide pour le cas où vous les perdriez. De même, apportez avec vous l'ordonnance pour vos lunettes ou vos verres de contact.

Pour ceux qui doivent voyager avec des accessoires tels que des seringues, assurez-vous de bien emporter vos ordonnances ou un certificat médical justifiant leur utilisation. Cela vous évitera d'abord d'avoir à vous justifier aux douaniers et vous aidera à les remplacer si jamais vous les perdiez.

De plus, vous pourriez emporter :

- pansements adhésifs
- désinfectants
- analgésiques
- antihistaminiques
- comprimés contre les maux d'estomac et le mal des transports
- serviettes sanitaires et tampons

Vous pourriez aussi inclure du liquide pour verres de contact et une paire de lunettes supplémentaire si vous en portez.

Sécurité

En général, en appliquant les règles de sécurité normales, vous ne devriez pas être incommodé plus en pays étranger que chez vous. Cependant, évitez toute ostentation. Les bijoux et accessoires luxueux, les habits voyants, etc, sont autant de détails qui vous feront «repérer». Évitez de vous promener seul dans des quartiers inconnus ou dans des lieux sombres après la tombée de la nuit. Les ceintures ou pochettes que l'on glisse sous ses vêtements pour garder les

cartes et papiers importants, de même que la majorité de son argent, peuvent se révéler salvatrices. Gardez toujours des petites coupures dans vos poches, et au moment d'effectuer un achat, évitez de montrer trop d'argent. Et enfin, sachez que dans le monde la plus grande cause d'accidents impliquant des touristes demeure les accidents de la route...

Assurances

Annulation

Cette assurance est normalement suggérée par l'agent de voyages au moment de l'achat du billet d'avion ou du forfait. Elle permet le remboursement du billet ou forfait, dans le cas où le voyage devrait être annulé en raison d'une maladie grave ou d'un décès. Les gens n'ayant pas de problèmes de santé ont peu de chance d'avoir recours à une telle protection. Elle demeure par conséquent d'une utilité relative.

Vol

La plupart des assurances-habitation au Canada protègent une partie des biens contre le vol, même si celui-ci a lieu à l'étranger. Pour réclamer, il faut avoir

Renseignements généraux

une copie du rapport de police. En général, la couverture pour le vol en voyage correspond à 10% de la couverture totale. Selon les montants couverts par votre police d'assurance-habitation, il n'est pas toujours utile de prendre une assurance supplémentaire. Pour les voyageurs européens, il est recommandé de prendre une assurance-bagages.

Maladie

Sans doute la plus utile, l'assurance-maladie s'achète avant de partir en voyage. Cette police d'assurance doit être la plus complète possible. Au moment de l'achat de la police, il faudrait veiller à ce qu'elle couvre bien les frais médicaux de tout ordre, comme l'hospitalisation, les services infirmiers et les honoraires des médecins (jusqu'à concurrence d'un montant assez élevé). Une clause de rapatriement, pour le cas où les soins requis ne peuvent être administrés sur place, est précieuse. En outre, il peut arriver que vous ayez à débourser le coût des soins en quittant la clinique. Il faut donc vérifier ce que prévoit votre police en pareil cas. Durant votre séjour, vous devriez toujours garder sur vous la preuve que vous avez contracté une assurance-

maladie, ce qui vous évitera bien des ennuis si par malheur vous en avez besoin.

Postes et télécommunications

L'indicatif régional de Cape Cod, Martha's Vineyard et Nantucket est le **508**.

Vous n'avez pas besoin de composer cet indicatif s'il s'agit d'un appel local. Pour les appels interurbains à l'intérieur du pays où du Canada, faites le 1, suivi de l'indicatif de la région que vous appelez, puis le numéro de votre correspondant. Si vous utilisez un télécopieur, il faut également composer l'indicatif régional, qui est le même que pour un interurbain téléphonique.

Les numéros de téléphone précédés d'un nombre dans les huit cents (**800**, **877**, **888**, etc.) vous permettent de communiquer avec votre correspondant sans encourir de frais si vous appelez des États-Unis ou du Canada. Faites quand même le **1** devant ces numéros.

Si vous désirez joindre un téléphoniste, signalez le **0**. Beaucoup moins chers à utiliser qu'en Europe, les appareils téléphoniques se trouvent à peu près partout. Il est facile de s'en servir, et

À propos de Ca

Pour des informations pratiques et
www.capecodonline.com

Pour les enfants
www.kidsonthecape.com

Pour la scène culturelle, de jour comme de nuit
www.capeweek.com

Pour lcs médias
www.capecodmagazine.com
www.capecodjournal.com

Pour les randonneurs
www.capecodcommission.org/pathways/trailguide.htm

Pour les adeptes de vélo
www.capecodbike.com

Pour les amateurs de golf
www.teeoffcapecod.com

Pour le transport par voie aérienne, maritime ou terrestre
www.smartraveler.com ou smartguide.org

Pour les personnes à mobilité réduite
www.capecod.net/ccdad

Pour réserver une nuit dans un B&B
www.bedandbreakfastcapecod.com

Pour les adeptes de magasinage
www.capecodshops.com

Renseignements généraux

...fonctionnent
...ec les cartes de
...Pour les appels lo-
...la communication
...e 0,25$ pour une durée
...mitée. Pour les interur-
...ains, munissez-vous de
pièces de 25 cents, ou bien
procurez-vous une carte à
puce d'une valeur de 10$,
15$ ou 20$ en vente dans
les kiosques à journaux. Si
vous téléphonez d'une résidence privée, cela vous
coûtera moins cher. Pour
appeler en **Belgique**, faites le
011-32 puis l'indicatif régional (Anvers 3, Bruxelles 2,
Gand 91, Liège 41) et le
numéro de votre correspondant. Pour appeler en
France, faites le 011-33 puis
le numéro à 10 chiffres de
votre correspondant en
omettant le premier zéro.
France Direct (☎*800-363-
4033*) est un service qui
vous permet de communi-
quer avec un téléphoniste
de France et de faire porter
les frais à votre compte de
téléphone en France. Pour
appeler en **Suisse**, faites le
011-41 puis l'indicatif régional (Berne 31, Genève 22,
Lausanne 21, Zurich 1) et le
numéro de votre correspondant.

Postes

Les bureaux de poste sont
ouverts du lundi au vendredi de 8h à 17h30 (parfois
jusqu'à 18h) et le samedi de
8h à midi.

Décalage horaire

Au Massachusetts, il est six
heures plus tôt qu'en Eu-
rope et trois heures plus
tard que sur la côte ouest
de l'Amérique du Nord et la
même heure qu'à Montréal.
N'oubliez pas qu'il existe
plusieurs fuseaux horaires
aux États-Unis.

Notez aussi que le Massa-
chusetts vit, du premier
dimanche d'avril au dernier
dimanche d'octobre, à
l'heure avancée de l'Est, soit
une heure plus tard qu'en
hiver.

Jours fériés

Voici la liste des jours fériés
aux États-Unis. Notez que la
plupart des magasins, services administratifs et banques, sont fermés pendant
ces jours.

New Year's Day (jour de l'An)
1er janvier

Martin Luther King, Jr. Day
troisième lundi de janvier

**President's Day (anniversaire
de Washington)**
troisième lundi de février

**Independence Day (fête de
l'Indépendance)**
4 juillet

Labor Day (fête du Travail)
premier lundi de septembre

Colombus Day (fête de Colomb)
deuxième lundi d'octobre

Veterans Day (journée des Vétérans et de l'Armistice)
11 novembre

Thanksgiving Day (Action de grâce)
quatrième jeudi de novembre

Christmas Day (Noël)
25 décembre

Avis aux fumeurs

De plus en plus, aux États-Unis, la cigarette est considérée comme un fléau à éliminer. Il est interdit de fumer dans les centres commerciaux, dans les autobus, dans les édifices publics et dans les bureaux des administrations publiques.

La majorité des lieux publics (restaurants) ont des sections «fumeurs» et «non-fumeurs». Si toutefois vous n'êtes pas trop découragé, sachez que les cigarettes se vendent dans bien des endroits (bars, épiceries, kiosques à journaux).

L'autre culture

Le choc culturel

Vous allez visiter un nouveau pays, faire connaissance avec des gens, goûter des saveurs nouvelles, sentir des odeurs inconnues, voir des choses surprenantes, bref, découvrir une culture qui n'est pas la vôtre. Cette rencontre vous apportera beaucoup, mais elle pourrait aussi vous secouer plus que vous ne le pensez. Le choc culturel peut frapper n'importe qui et n'importe où, même, parfois, pas si loin de chez soi!

Raison de plus alors si vous vous rendez en pays étranger pour demeurer sensible aux symptômes du choc culturel. Face à la façon de fonctionner différente de la culture que vous abordez, vos repères habituels se révéleront sans doute inutiles. La langue et le langage vous seront peut-être inaccessibles, les croyances vous sembleront peut-être insondables, les habitudes incompréhensibles, les gens inabordables et certaines choses vous paraîtront peut-être inacceptables au premier abord. Pas de panique, l'être humain peut faire preuve d'une grande adaptation. Mais il faut pour cela lui en donner les moyens.

N'oubliez pas que la diversité culturelle est une richesse! N'essayez pas nécessairement de retrouver vos repères habituels, mais tâchez plutôt de vous mettre dans la peau des gens qui vous entourent et

Renseignements généraux

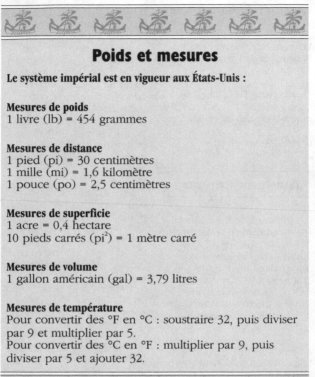

Poids et mesures

Le système impérial est en vigueur aux États-Unis :

Mesures de poids
1 livre (lb) = 454 grammes

Mesures de distance
1 pied (pi) = 30 centimètres
1 mille (mi) = 1,6 kilomètre
1 pouce (po) = 2,5 centimètres

Mesures de superficie
1 acre = 0,4 hectare
10 pieds carrés (pi²) = 1 mètre carré

Mesures de volume
1 gallon américain (gal) = 3,79 litres

Mesures de température
Pour convertir des °F en °C : soustraire 32, puis diviser par 9 et multiplier par 5.
Pour convertir des °C en °F : multiplier par 9, puis diviser par 5 et ajouter 32.

de comprendre leur façon de vivre. Si vous demeurez courtois, modeste et sensible, les gens pourront sans doute vous être d'une grande aide. Le respect est une simple clé qui peut embellir beaucoup de situation. Souvenez-vous qu'il ne s'agit pas seulement de tolérer ce qui vous semble différent. Respecter veut dire beaucoup plus que cela. Qui sait, essayer de comprendre le pourquoi et le comment de tel ou tel aspect culturel pourrait bien devenir l'un de vos plus grands plaisirs de voyage!

Le tourisme responsable

L'aventure du voyage risque d'être fort enrichissante

pour vous. En sera-t-il autant pour vos hôtes? La question de savoir si le tourisme est bon ou mauvais pour la terre qui l'accueille soulève bien des débats. On peut facilement lister plusieurs avantages (développement d'une région, mise en valeur d'une culture, échanges, etc.), mais aussi plusieurs inconvénients (aggravation de la criminalité, accroissement des inégalités, destruction de l'environnement, etc.) à l'industrie touristique. Une chose est sûre : votre passage ne restera pas sans conséquence, même si vous voyagez seul.

Bien sûr, cela est évident quand on parle d'environnement. Vous devriez être aussi attentif à ne pas polluer en voyage qu'à la maison. On nous le répète assez : nous vivons tous sur la même planète! Mais lorsqu'il s'agit des aspects sociaux, culturels ou même économique, il est difficile parfois d'évaluer notre impact. Sachez rester sensible à la réalité qui vous entoure. Interrogez-vous sur les répercussions possibles avant de commettre une action. Souvenez-vous que l'on risque d'avoir de vous une perception fort différente de celle que vous désirez projeter.

Bref, il appartient à chaque voyageur, peu importe le type de voyage qu'il choisit, de développer une conscience sociale, de se sentir responsable par rapport aux gestes qu'il pose en pays étranger. Une bonne dose de bon sens, suffisamment d'altruisme et une touche de modestie devraient être des outils utiles pour vous mener à un tourisme responsable. C'est aussi ça, le plaisir de mieux voyager!...

Lois et coutumes à l'étranger

Il n'est pas nécessaire d'apprendre par cœur le code des lois du pays que vous allez visiter. Cependant, sachez que, sur le territoire d'un État, vous êtes assujetti à ses lois même si vous n'êtes pas citoyen de cet État. Ainsi, ne prenez jamais pour acquis que quelque chose qui est permis par la loi chez vous l'est automatiquement ailleurs. De plus, n'oubliez jamais de tenir compte des différences culturelles. Certains gestes ou attitudes qui vous semblent insignifiants pourraient, dans d'autres pays, vous attirer des ennuis. Rester sensible aux coutumes de vos hôtes est sans doute le meilleur atout pour éviter les problèmes.

Renseignements généraux

Voyager en famille

Il est peut être aisé de voyager avec des enfants, aussi petits soient-ils. Bien sûr, quelques précautions et une bonne préparation rendront le séjour plus agréable.

Les établissements hôteliers

Nombre d'établissements hôteliers sont équipés pour recevoir adéquatement les enfants. Généralement, pour garder un tout-petit dans sa chambre, il n'y a pas de frais supplémentaires. Plusieurs hôtels et gîtes disposent de lits de bébé; demandez le vôtre au moment de faire la réservation. Il se peut que vous ayez à payer un supplément pour les enfants, lequel est rarement élevé. Les établissements hôteliers et les restaurants de la Nouvelle-Angleterre offrent très souvent des forfaits intéressants pour les familles (p. ex. : repas gratuit avec achat d'un repas pour adulte). Informez-vous.

Lorsque vous avez une sortie en soirée, plusieurs hôtels sont à même de vous fournir une liste de gardiennes d'enfants dignes de confiance. Vous pouvez également confier vos enfants à une garderie; consultez l'annuaire téléphonique, et assurez-vous qu'il s'agit bien d'un établissement détenant une licence.

La voiture

La grande majorité des entreprises de location de voitures loue des sièges de sécurité pour enfant. Ces sièges ne coûtent pas plus d'une vingtaine de dollars pour une semaine.

Le soleil

Faut-il préciser que la peau fragile de bébé a besoin d'une protection bien particulière, et ce, même s'il est préférable de ne jamais l'exposer aux chauds rayons du soleil. Avant d'aller à la plage, enduisez-le d'une crème solaire assurant un écran total (protection 25 pour les enfants, 35 pour les bébés). Dans les cas où l'on craindrait une trop longue exposition, il existe sur le marché des crèmes offrant une protection allant jusqu'à 60. À tous âges, un chapeau couvrant bien la tête est nécessaire tout au long de la journée.

La baignade

L'attrait des vagues est très fort pour les enfants qui peuvent s'y amuser pendant des heures. Il faut toutefois faire preuve de beaucoup de prudence et exercer une surveillance constante : un accident est bien vite arrivé. Le mieux qu'on puisse faire, c'est qu'un adulte accompagne les enfants dans l'eau, surtout les plus jeunes, et qu'il se tienne plus loin dans la mer de manière à ce que les enfants s'ébattent entre lui et la plage. Il pourra ainsi intervenir rapidement en cas de malheur.

Pour les tout-petits, il existe des couches prévues pour aller dans l'eau (*Little Swimmers,* de marque Huggies); elles s'avèrent bien pratiques si l'on désire baigner bébé dans une piscine.

Femme voyageant seule

Les femmes voyageant seules ne devraient pas rencontrer de difficultés en prenant les précautions d'usage (voir «Sécurité» p 55).

Sachez toutefois qu'il est imprudent de faire de l'auto-stop.

Divers

Taxes

N'oubliez pas que la taxe de vente du Massachusset est de 5% et ne s'applique pas sur les achats de vêtement si la facture est moins de 175$ ainsi que sur les achats de nourriture.

Drogues

Les drogues sont absolument interdites (même les drogues dites «douces»). Aussi bien les consommateurs que les distributeurs risquent de très gros ennuis s'ils sont trouvés en possession de drogues.

Électricité

Partout aux États-Unis et en Amérique du Nord, la tension électrique est de 110 volts et de 60 cycles (Europe : 50 cycles); aussi, pour utiliser des appareils électriques européens, devrez-vous vous munir d'un convertisseur de courant adéquat.

Les fiches d'électricité sont plates, et vous pourrez trouver des adaptateurs sur place ou, avant de partir, vous en procurer dans une boutique d'articles de voyage ou dans une librairie de voyage.

Attraits touristiques

Les 500 km de plages de Cape Cod et des îles parsemées de phares et de dunes reçoivent chaque année des milliers de visiteurs en quête de charme. Les amateurs d'attraits naturels se bousculent à leurs portes, ou plutôt sur leurs quais et à l'entrée des ponts.

Attention à la dénomination locale des secteurs de Cape Cod, qui engendre énormément de confusion : l'Upper Cape désigne le secteur ouest, celui qui se trouve près du Cape Cod Canal; le Mid-Cape s'étend de Barnstable au nord et de Hyannis au sud, jusqu'à Orleans, tandis que l'Outer Cape (ou Lower Cape) relie Orleans à Provincetown. Pour faciliter la localisation des circuits, nous avons préféré répartir les secteurs de la façon suivante : Circuit A : l'Old King's Highway (de Sandwich à Orleans), Circuit B : l'Outer Cape (d'Eastham à Provincetown), Circuit C : le sud du cap (de Chatham à Falmouth), Circuit D : Martha's Vineyard et Circuit E : Nantucket.

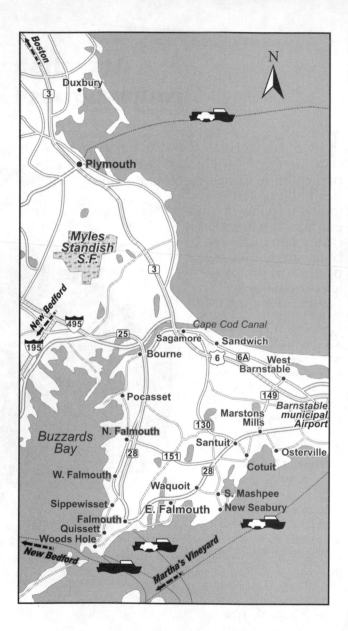

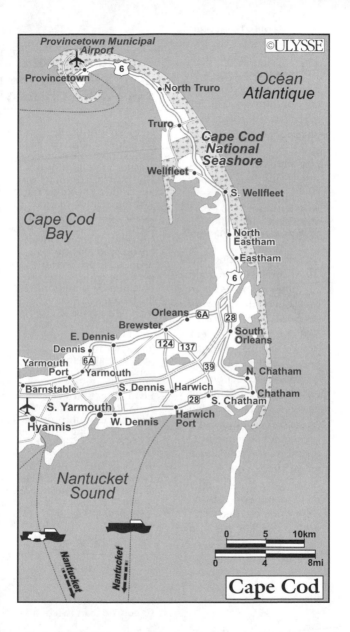

Cape Cod

Dans ce chapitre, les principaux attraits touristiques, suivis d'une description historique et culturelle, sont abordés. Les attraits sont cotés selon un système d'étoiles pour vous permettre de faire un choix si le temps vous y oblige.

★ Intéressant
★★ Vaut le détour
★★★ À ne pas manquer

Le nom de chaque attrait est suivi d'une parenthèse qui vous donne ses heures d'ouverture et ses coordonnées. Le prix qu'on y retrouve est le prix d'entrée pour un adulte. Informez-vous, car plusieurs endroits offrent des réductions aux enfants, aux étudiants, aux aînés et aux familles. Plusieurs de ces attraits sont accessibles seulement pendant la saison touristique, tel qu'indiqué dans cette même parenthèse. Cependant, même hors saison, certains de ces endroits vous accueillent sur demande, surtout si vous êtes en groupe.

Circuit A : l'Old King's Highway (de Sandwich à Orleans)

Le Sagamore Bridge conduit tout droit à l'une des plus belles routes de Cape Cod : l'historique Old King's Highway. Cette route longe le nord de la côte de Cape Cod où chaque maison semble avoir une histoire à raconter. Anciennes demeures de capitaines converties en *bed and breakfasts* ou résidences privées au charme centenaire, entrecoupées par de grands arbres, les beautés de cette route ne sont plus un secret pour personne. L'Old King's Highway, qui s'étend aujourd'hui sur quelque 55 km, était autrefois un sentier amérindien qui reliait les territoires actuels de Plymouth et Provincetown. Au XVIIe siècle, le sentier allait devenir un prolongement de la King's Highway de la colonie de Plymouth.

*Toutes les villes de ce circuit s'étendent le long de la **Route 6A**, qui longe la côte nord de la presqu'île de Cape Cod, de Sandwich à Orleans.*

Sandwich

La doyenne des villes de Cape Cod, Sandwich, a vu

le jour en 1637 grâce à quelques Pères pèlerins qui quittèrent, insatisfaits, la Plimoth Plantation. La ville a conservé beaucoup de son charme d'antan, et des efforts de préservation visibles ont été entrepris, au plus grand plaisir des visiteurs qui désirent se retremper dans l'histoire.

Sandwich est une ville qui se marche. En arrivant par la Route 6A, vous pouvez garer votre voiture au centre-ville, sur Main Street, et amorcer la visite de la ville à pied ou en vélo.

À l'angle de Tupper Road et de Main Street, vous trouverez le **Sandwich Glass Museum** ★★★ *(3,50$; tlj 9h30 à 17h, fermé jan; 129 Main St., ☎888-0251, ≈888-4941).* L'exposition de milliers de pièces de verre colorées créées à Sandwich entre les années 1825 et 1888 par la Boston & Sandwich Glass Company vous retiendra pendant au moins une heure. En verre pressé ou de couleur, les objets classés selon le style et les différentes époques dans ce musée de renommée mondiale sont de véritables œuvres d'art.

Sur Water Street, trois sites histori-

ques longent la rive du Shawme Pond. Le **Dexter Grist Mill** ★★ *(1,50$; fin mai à mi-oct, lun-sam 10h à 17h),* construit en 1640, est un petit moulin très agréable dont la roue en mouvement émerveillera les enfants.

À quelques pas de là, le **Thornton W. Burgess Museum** *(dons; avr à oct lun-sam 10h à 16h, dim 13h à 16h; 4 Water St., ☎888-4668, www. thorntonburgess.org)* se veut un hommage à un naturaliste natif de Sandwich, Thornton W. Burgess, ainsi qu'à son œuvre pour enfants par le biais d'une exposition.

Non loin, toujours sur Water Street, il ne faut surtout pas manquer la délicieuse **Hoxie House** ★★★ *(1,50$; mi-juin à mi-oct lun-sam 10h à 17h, dim 13h à 17h;*

Hoxie House

18 Water St., ☎888-1173), la
plus ancienne «boîte à sel»
(voir p 28) de Cape Cod,
merveilleusement bien
conservée, où les murs, les
vestiges et les guides racon-
tent mille histoires sur ses
habitants et la vie d'une
autre époque. Les familles
Smith et Hoxie l'habitèrent
jusqu'en 1952, avant que la
ville ne se charge de la res-
taurer comme à son origine.
Personnel compétent.

Revenir vers Main Street et
emprunter Grove Street
vous conduira à la **Heritage
Plantation of Sand-
wich** ★★★ *(9$; mai à oct tlj
10h à 17h; angle Grove et Pine
St., ☎888-3300 ou 888-1222,
≈833-2917, www. heritage-
plantation.org)*. Sur cette
«plantation» où se mêlent
sentiers tranquilles et jardins
dans un ensemble paysager
de bon goût, trois musées
ont été aménagés dans au-
tant de pavillons.

À peu de distance de mar-
che de l'entrée, le **J. K. Lilly
III Automobile Museum** ★★
abrite 35 impressionnantes
voitures de collection. Que
vous soyez connaisseur ou
non, vous apprécierez la
Duesenberg verte et jaune
construite spécialement
pour Gary Cooper en 1931,
la première voiture prési-
dentielle ainsi que la célèbre DeLorean du film *Retour
vers le Futur*.

Si la visite d'un musée mili-
taire vous rebute, vous dé-
couvrirez avec enchante-
ment le caractère unique de
l'exposition des soldats
miniatures regroupés en
tableaux selon les époques,
les régiments d'apparte-
nance et les différentes
campagnes au **Military Museum** ★★★. Une collection
d'armes à feu est aussi en
montre.

L'**Art Museum** ★ abrite un
ancien carrousel en état de
marche ainsi que plusieurs
expositions temporaires et
permanentes à saveur artistique et culturelle. L'exposition de jouets anciens est
très intéressante.

Barnstable

Barnstable est complexe
puisqu'elle comprend en
fait sept villages : Barnstable Village et West Barnstable, Cotuit, Marstons Mills,
Osterville, Centerville et la
vibrante Hyannis.

Barnstable Village et West
Barnstable valent que l'on
serpente leur territoire si
élégant qui rappelle le faste
de jadis. L'Old King's Highway, étroite et sinueuse,
prend ici tout son sens.
L'architecture extraordinaire
des demeures fédérales
colorées qui se tiennent
silencieuses sous de grands

arbres mérite nettement un détour.

Yarmouth

Yarmouth s'étend sur un si vaste territoire et change tellement souvent de visages qu'il est facile de s'y perdre. Le long de l'Old King's Highway, elle prend le nom de Yarmouth Port et devient riche en histoire.

Sur la Route 28, c'est West Yarmouth, la Yarmouth commerciale des vacanciers qui n'en ont que pour les divertissements : minigolfs, motels, *fast-foods*, tout comme plus loin sur cette même route lorsqu'elle pénètre dans Hyannis. Les familles en raffolent puisqu'elles ne manquent jamais d'activités pour les jeunes enfants.

Puis South Yarmouth prend des airs de lieu de villégiature, avec ses établissements en front de mer et ses belles plages. On s'arrête à Yarmouth même pour son côté pratique plutôt que pour ses attraits historiques. Plusieurs familles choisissent de loger à Yarmouth où la plupart des établissements disposent de nombreux services.

Dennis

Dennis est si étendue que son territoire prend des airs historiques ou de lieu de villégiature. Au sud, elle règne sur le Nantucket Sound et hérite des artifices de la Route 28. Au nord, elle se penche plutôt sur la Cape Cod Bay et fait écho aux histoires de capitaines qui l'habitèrent naguère.

Au **Cape Museum of Fine Arts ★** *(5$; mi-mai à mi-oct lun-sam 10h à 17h, dim 13h à 17h; Route 6A, ☎385-4477, www.cmfa.org)*, vous pourrez admirer une grande collection d'œuvres réalisées par des artistes locaux ou par ceux qui se laissèrent inspirer par cette presqu'île. Le musée souligne le rôle de Cape Cod et des îles dans le monde de l'art, et il organise différentes activités sur ce thème.

Brewster

Brewster niche sur les flancs de la Route 6A. Elle ravira ceux qui tentent d'échapper aux foules qui envahissent la presqu'île : elle est tranquille, sans toutefois manquer de charme.

Les enfants tout autant que les adultes apprécieront

Attraits touristiques

grandement la visite du **Cape Cod Museum of Natural History** ★★★ *(5$; lun-sam 9h30 à 16h30, dim 11h à 16h30; 869 Route 6A, ☎896-3867, ≠896-8844, www. ccmnh.org)* et de ses expositions interactives originales. Le musée raconte l'histoire de la formation de Cape Cod ainsi que de sa faune et de sa flore. On y retrouve de grandes fenêtres qui donnent sur une mangeoire où suisses et écureuils se côtoient au plus grand plaisir des tout-petits. Le sous-sol abrite une impressionnante collection d'oiseaux empaillés, ainsi que des aquariums avec poissons et tortues. Le musée organise également un nombre impressionnant d'activités axées sur la nature.

Autre musée qui sera grandement apprécié des enfants, le **New England Fire and History Museum** *(droit d'entrée; mi-mai à fin oct tlj 10h à 16h, sam-dim midi à 16h; 1439 Route 6A, ☎896-5711)* renferme une collec-

tion d'anciens équipements servant à combattre les incendies.

Le **Nickerson State Park** ★★ *(3488 Route 6A, ☎896-3491)* apporte un changement radical de paysage; soudainement, plus de sable ni de mer, mais une forêt qui abrite des étangs, des sentiers pédestres, une piste cyclable, une grande variété d'oiseaux et de petits mammifères, et même un terrain de camping (voir p 141).

Orleans

Orleans fut fondée en 1644 par des colons de la Plimoth Plantation. Son nom français, aux origines encore obscures, contraste avec les autres villes de Cape Cod. Une version soutient que la ville tiendrait son nom de Louis-Philippe de Bourbon, duc d'Orléans, qui aurait visité l'endroit en 1790, lors de son exil.

Orleans, prise dans son ensemble, n'est pas à proprement parler une belle ville. Certains coins naturels valent cependant la peine qu'on s'y arrête, comme la **Nauset Beach** ★★★ (voir p 75), l'une des plus

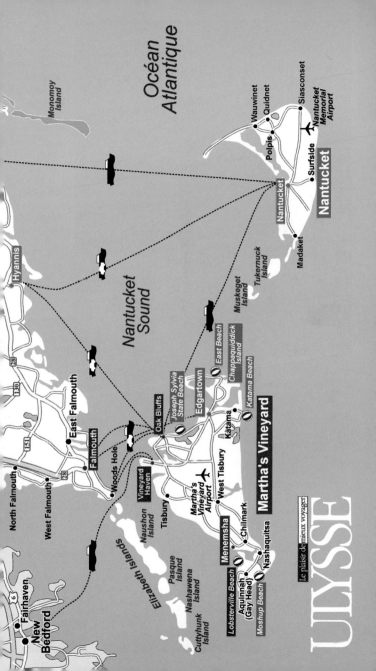

Le Cape Cod National Seashore est une véritable merveille naturelle qui renferme quelques-uns des plus magnifiques paysages de Cape Cod et certainement plus belles plages.
- *Alexandra Gilbert*

Coucher de soleil sur une plage léchée par les dernières vagues du jour. Les souvenirs de cette journée radieuse resteront longtemps gravés dans les mémoires, à l'image des mouvements de l'eau incrustés dans le sable.
- *Alexandra Gilbert*

belles plages de Cape Cod, et le **Rock Harbor** ★, une agréable marina située sur la tranquille Cape Cod Bay où il fait bon flâner. Les pêcheurs la quittent tôt le matin et y reviennent plus tard avec leurs prises de la journée, un spectacle dont raffolent les visiteurs.

Ceux qui préfèrent l'histoire à la légèreté des plages peuvent visiter **The French Cable Station Museum** *(entrée libre; juil et août lun-sam 13h à 16h, juin et sept ven-dim 13h à 16h; angle Route 28 et Cove Rd., au nord de Main St., ☎240-1735)*. Ce modeste bâtiment blanc conserve les échos d'événements qui marquèrent l'histoire, comme le succès de la traversée de l'Atlantique par un dénommé Charles Lindbergh, qui fut télégraphié à la station d'Orleans. De 1898 à 1940, la station assura un lien télégraphique entre l'Europe et l'Amérique. Le musée abrite plusieurs instruments télégraphiques, dont des câbles sous-marins.

Le **Jonathan Young Windmill** ★ *(entrée libre; fin juin à août tlj 11h à 16h; Route 6A)* a été construit dans les années 1700. Déménagé plusieurs fois avant d'être légué à la ville d'Orleans, complètement restauré par l'Orleans Historical Society, le Jonathan Young Windmill est situé dans un parc agréable et la visite de ce moulin à vent se veut tout simplement charmante.

Circuit B : l'Outer Cape (d'Eastham à Provincetown)

L'Outer Cape est la réponse aux rêves de larges bandes de sable blanc et de dunes,

Attraits touristiques

de villages pittoresques s'enchaînant les uns aux autres et d'espaces naturels grandioses demeurés intouchés qui hantent l'imaginaire populaire. Le Cape Cod National Seashore (voir p 111), avec ses plages et ses paysages légendaires, couvre la partie est de l'étroit Outer Cape, tandis que Provincetown, symbole de liberté et de tolérance, fait vibrer la pointe nord de Cape Cod. Plus on s'éloigne de l'autoroute US 6 vers la mer, qui borde les deux faces de l'Outer Cape, plus cette portion du cap devient enchanteresse...

*Les villes de ce circuit sont accessibles à partir de l'**autoroute US 6**, qui traverse l'Outer Cape.*

Eastham

La petite et tranquille Eastham, bordée à l'est par l'Atlantique et à l'ouest par la Cape Cod Bay, constitue la porte d'entrée de l'Outer Cape et bien souvent le point de départ pour l'exploration du Cape Cod National Seashore.

Ses magnifiques plages et ses espaces naturels protégés font oublier trop souvent les premiers pas d'Eastham dans l'histoire. C'est à la First Encounter Beach que les Pères pèlerins du *Mayflower* et les Amérindiens se rencontrèrent pour la première fois, en 1620. Une poignée de Pères pèlerins insatisfaits des terres de Plymouth revint en 1644 pour fonder la ville.

En arrivant sur le territoire d'Eastham par l'autoroute US 6, suivez les indications qui mènent à **Fort Hill** ★★, un promontoire naturel où se rencontrent les amoureux de la randonnée et des beaux paysages. L'étroite route conduit à une première aire de stationnement, d'où est accessible le Fort Hill Trail (voir p 129), ainsi qu'à un deuxième stationnement et au **Fort Hill Overlook** ★★★, qui surplombe le Nauset Marsh, la Coast Guard Beach et des champs adjacents. Il faut prendre le temps de s'arrêter pour admirer les formes et les couleurs magnifiques de ce marais, où les Amérindiens s'approvisionnèrent pendant des milliers d'années.

En revenant sur l'étroite Fort Hill Road, l'unicité architecturale de la **Penniman House** ★ (☎255-3421), construite en 1868 par le capitaine Edward Penniman, attire l'attention. De style Second Empire, son faste extérieur témoigne d'une industrie autrefois prestigieuse, celle de la baleine. Peut-être le capitaine était-il quelque peu original, puisqu'il amena dans ses aventures maritimes à trois reprises sa femme et ses enfants...

En continuant vers le nord sur la US 6, l'**Eastham Windmill** *(entrée libre; en été 10h à 17h)* est un joli petit moulin, le seul de Cape Cod à n'avoir jamais été déménagé dans une autre localité.

Un peu plus loin se trouve le **Salt Pond Visitor Center** ★★★ *(tlj 9h à 17h; ☎255-3421, www.nps.gov/ caco)*, point de départ de plusieurs visiteurs vers le Cape Cod National Seashore. Vous pourrez vous y procurer des brochures, visionner un film sur la formation de Cape Cod ou encore visiter l'une des expositions sur les ressources naturelles de la presqu'île. La librairie possède d'excellents bouquins sur les ressources naturelles du Cape Cod National Seashore, ainsi que des livres d'intérêt général sur Cape Cod et des souvenirs.

Pluvier siffleur

Le centre dispose d'une immense aire de stationnement où vous pouvez laisser votre véhicule si vous désirez faire une promenade à vélo sur le **Nauset**

Bike Trail ★★★ (voir p 132), ou encore emprunter les magnifiques sentiers interprétatifs ★★ (voir p 130).

En sortant du stationnement, suivez sur 2,4 km les pittoresques Nauset Road et Doane Road, qui mènent à la **Coast Guard Beach** ★★★ (voir p 113), qui fera le bonheur des amateurs de baignade, celui des randonneurs et des ornithophiles. Même des phoques s'amusent au Nauset Spit durant les mois d'hiver.

L'Ocean View Drive, qui relie la Coast Guard Beach à l'excellente **Nauset Light Beach** ★★★ (voir p 114), offre une vue spectaculaire sur l'océan. Des panneaux indiquent les aires de nidification des pluviers siffleurs, une espèce menacée, et il est de mise de garder ses distances.

Du stationnement, on aperçoit la **Nauset Light** *(visites dim, ☎255-3421)*, accessible à faible distance de marche. Les **Three Sisters Lighthouses** *(visites, ☎255-3421)*, trois phares d'une hauteur de 6,7 m, tout en bois, sont moins visibles, mais n'en demeurent pas moins accessibles

Attraits touristiques

en passant par un sentier qui part du stationnement.

Wellfleet

Il fait bon déambuler tranquillement dans la rue principale du village de Wellfleet, à la recherche d'un trésor au fond d'une boutique d'artisanat ou d'une galerie, à moins que les magnifiques plages du Cape Cod National Seashore qui bordent la ville sur l'Atlantique ne soient plus attirantes...

Tout juste après la ligne territoriale qui sépare Eastham de Wellfleet, vous trouverez le **Massachusetts Audubon Society Wellfleet Bay Wildlife Sanctuary** ★★ *(3$; tlj 8h30 à 17h, sentiers ouverts de 8h à 20h; S. Wellfleet, ☎349-2615, www.wellfleetbay.org).* Un beau centre d'interprétation entouré d'un agréable aménagement paysager a été construit pour accueillir les visiteurs. Vous trouverez à l'intérieur un comptoir d'information, point de départ idéal pour une randonnée.

Ce parc compte plusieurs sentiers naturels qu'il est possible d'explorer en solitaire ou par le biais une visite guidée. Plusieurs espèces d'oiseaux peuvent y être observées. On y

propose également plusieurs activités à thèmes, de l'excursion au Monomoy National Wildlife Refuge (voir p 85) à l'observation des oiseaux sur Martha's Vineyard en passant par les sorties en canot.

Continuez sur l'autoroute US 6 jusqu'aux panneaux indiquant le **Marconi Station Site**, situé tout à côté de la magnifique **Marconi Beach** ★★ (voir p 114). C'est à partir de cette station que l'inventeur italien Guglielmo Marconi (1874-1937) réalisa son rêve le plus cher, soit la première communication transatlantique sans câble entre les États-Unis et l'Angleterre : un message du président des États-Unis au roi d'Angleterre transmis avec succès le 18 janvier 1903.

Du haut d'une falaise de 26 m, sur le Marconi Station Site, une station d'observation permet de profiter de la vue magnifique sur l'océan Atlantique et les bancs de sable. Plusieurs bateaux coulèrent dans les environs, dont le désormais célèbre bateau pirate *Whydah* (voir p 80).

Truro

On dirait qu'à Truro la mer est partout. L'eau a inscrit

Truro dans l'histoire puisque les Pères pèlerins du *Mayflower* y auraient bu leur première gorgée au Nouveau Monde. Elle encercle l'étroite bande de terre, créant ses plages et ses beaux paysages.

La tranquillité de Truro et ses airs d'«intouchée» inspirent, comme en témoigne le **Castle Hill Center for the Arts** (☎349-7511, ≠349-7513, *www.castlehill.org*), qui propose des cours de peinture, de dessin, de sculpture, de joaillerie et même de création littéraire.

Les amateurs de bon vin se réjouiront de retrouver les **Truro Vineyards of Cape Cod** ★ *(Route 6A, ☎487-6200)*, où vous dénicherez non seulement une sélection de vins provenant du beau vignoble qui s'étend à l'arrière, mais où vous pourrez aussi assister à des dégustations et à des visites guidées des installations viticoles.

Au **Highland House Museum** *(3$, avec visite du phare 5$; début juin à fin sept tlj 10h à 16h30; Lighhouse Rd., ☎487-3397, www.capecod.net/ths)*, c'est toute l'histoire de Truro qui revit grâce aux diffé-

rents vestiges associés principalement à la mer. Cet ancien hôtel a maintes fois accueilli l'écrivain Henry Thoreau, qui y séjournait lors de ses visites à Cape Cod.

«A man can stand here and put all of America behind him» écrivait Henry Thoreau à propos du site du magnifique **Highland Lighthouse** ★★ *(10h à 18h)*, le plus ancien phare du cap, construit en 1797. La vue, du haut du phare qui est également le plus élevé de Cape Cod, est grandiose et son site enchanteur.

★★★

Provincetown

Provincetown est sans doute la ville la plus éclatée de Cape Cod, où le respect de l'autre se lit sur tous les visages. Ses deux artères principales, Commercial Street, bordée de restaurants, de *inns* et de boutiques, et Bradford Street, plus tranquille, suffisent à donner le ton à l'atmosphère, sans compter les espaces naturels somptueux qui entourent ce petit morceau d'urbanité trônant à la pointe nord de Cape Cod. Surnommée *P-town*, la

Attraits touristiques

petite ville prend les airs d'une grande, avec ses bars aux allures urbaines, ses restos chics et branchés, et sa vibrante enclave artistique bien ancrée.

Sur le cap, *P-town* est plus que synonyme de fête : c'est la liberté de vivre. Les couples de même sexe abondent, les originaux s'affichent et les hédonistes s'en donnent à cœur joie. À *P-town* la tolérante, on peut laisser sortir tout son fou sans ambages.

Voilà peut-être pourquoi l'écrivain Jack Kerouac débarqua dans ses rues avec ses amis, que le dramaturge Eugene O'Neil y débuta sa carrière et que Jackson Pollock s'y établit pour explorer en peinture l'expressionnisme abstrait.

Sous ses allures de frivolité se lit cependant une riche histoire. Le 11 novembre 1620, les Pères pèlerins du *Mayflower* jetèrent l'ancre au Provincetown Harbor. Ils explorèrent la région pen

dant environ cinq semaines, avant de poursuivre vers un site moins exposé aux intempéries et plus favorable à l'établissement d'une colonie. Provincetown étant une pointe entourée d'eau, les habitants qui s'y établirent plus tard vécurent largement de la pêche et du commerce maritime.

Le profil de la ville s'est également dessiné avec la venue des pêcheurs portugais, principalement en provenance des Açores, qui s'y établirent pour profiter de la pêche florissante. L'héritage laissé par les nombreux pêcheurs portugais est encore palpable, notamment à l'époque du Portuguese Festival (voir p 195).

Le point de départ idéal d'une visite de Provincetown est le **MacMillan Wharf**, en retrait de Commercial Street. Vous y trouverez un vaste stationnement, la Provincetown Chamber of Commerce, de même que la plupart des entreprises proposant des excursions d'observation des baleines (voir p 124) ou autres croisières en mer.

Même si les centaines de bateaux de pêcheurs qui s'ancraient autrefois à ce quai n'y sont plus aussi nombreux, le MacMillan Wharf est un endroit

Bateau de pêcheurs

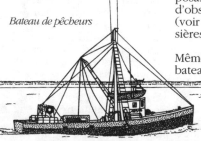

Eugene O'Neil et Provincetown

Fils de l'acteur James O'Neil, Eugene O'Neil (1888-1953) trempa dès sa naissance dans l'univers du théâtre. Il fréquenta brièvement l'université avant de tout laisser tomber pour *«faire l'expérience de la vie»*. Jusqu'en 1912, il mena une vie de bohème qui l'amena en Amérique du Sud et en Europe; marin, puis chercheur d'or, O'Neil fréquentait les lieux mal famés et consommait énormément d'alcool.

Après avoir contracté la tuberculose, il fut envoyé dans un sanatorium en 1912-1913. Ce temps d'arrêt lui permit de faire le point sur son existence, qu'il décida de consacrer à l'écriture théâtrale.

Eugene O'Neil fit ses débuts à Provincetown. Une compagnie théâtrale formée par des artistes à la recherche de nouvelles formes de théâtre, la Pro-

vincetown Players, produisit, en 1916, *Bound East for Cardiff*. Présentée dans une modeste maison sur le bout d'un quai, la pièce révéla le génie théâtral d'O'Neil. Cette pièce comprenant un acte, inspirée de la vie de marin que mena O'Neil pour un temps, lança sa brillante carrière. La compagnie Provincetown Players devint, dès l'automne de la même année, la Playwright's Theater, qui produisit toutes les pièces d'Eugene O'Neil à New York entre 1916 et 1920.

En 1936, Eugene O'Neil reçut le prix Nobel de la littérature, accordé pour la première fois à un dramaturge américain. Il mourut dans un hôtel de Boston en 1953, reclus et frustré de ne pouvoir poursuivre son œuvre à cause d'une maladie nerveuse dégénératrice.

Attraits touristiques

vivant où il fait bon se promener et profiter du spectacle d'une plus petite flotte colorée qui s'y repose.

Tout au bout du Mac-Millan Wharf, vous trouverez le fascinant **Expedition Whydah Sea-Lab and Learning Center ★★** *(5$; mai à nov 10h à 17h, nov et déc sam-dim 10h à 17h; ☎487-8899)*. L'expédition menée par Barry Clifford a permis de mettre au jour le vaisseau *Whydah*, qui coula le long de la Marconi Beach en 1717. Il avait été capturé, rempli d'esclaves noirs et d'or, par le pirate Sam Bellamy, qui, en 15 mois, avait réussi à s'emparer de plus d'une cinquantaine de vaisseaux.

Au-delà de cette découverte extraordinaire, c'est le mythe du pirate lui-même qui refit surface. L'exposition raconte, grâce aux vestiges trouvés dans l'épave du *Whydah* et aux photos relatant les faits saillants de l'expédition, le mode de vie des pirates, comment ils séparaient le butin, leur hié-

Pilgrim Monument

rarchie, etc. Les enfants en raffoleront et les plus grands rêveront de pareille découverte...

Tournez à gauche par Commercial Street et rendez-vous jusqu'à l'angle de Ryder Street. Le terrain et les bancs du **Town Hall** constituent un lieu parfait pour se reposer. Le bâtiment lui-même ne présente d'autre intérêt que ses toilettes publiques, où il est de bon ton de laisser un pourboire à la dame qui assure d'une main de fer le roulement des clients.

Derrière le Town Hall, de l'autre côté de Bradford Street, le *Pilgrim Bas Relief*, installé sur le Town Green, illustre les Pères pèlerins signant le *Mayflower Compact*, événement qui eut lieu sur le *Mayflower*, alors ancré au Provincetown Harbor, le 11 novembre 1620. Le texte, ainsi que le noms des signataires, apparaissent sur une pierre.

Le **Pilgrim Monument ★★** et le **Provincetown Museum** *(6$; avr à nov tlj 9h à 17h;*

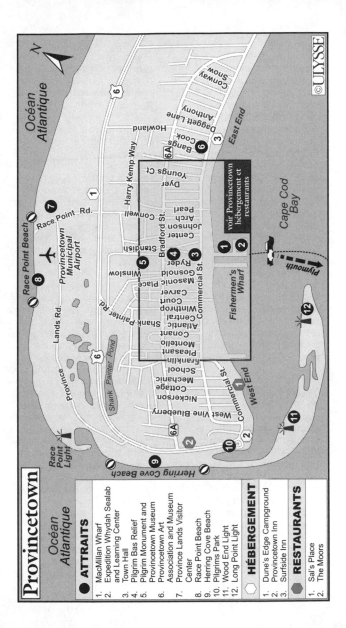

Provincetown

Océan Atlantique

● ATTRAITS

1. MacMillan Wharf
2. Expedition Whydah Sealab and Learning Center
3. Town Hall
4. Pilgrim Bas Relief
5. Pilgrim Monument and Provincetown Museum
6. Provincetown Art Association and Museum
7. Province Lands Visitor Center
8. Race Point Beach
9. Herring Cove Beach
10. Pilgrims Park
11. Wood End Light
12. Long Point Light

⬡ HÉBERGEMENT

1. Dune's Edge Campground
2. Provincetown Inn
3. Surfside Inn

⬣ RESTAURANTS

1. Sal's Place
2. The Moors

© ULYSSE

voir Provincetown hébergement et restaurants

*High Pole St., ☎487-1310,
www. pilgrim-monument.org)*
se trouvent juste derrière le
bas-relief. Le musée retrace
les grandes lignes de l'histoire de Provincetown et de
l'Outer Cape à l'aide d'expositions sur différentes
thématiques.

Le Pilgrim Monument, on
l'aura deviné, commémore
l'arrivée des Pères pèlerins
aux États-Unis. La structure,
de 77 m de hauteur, est
visible de toute la ville.
Ceux qui choisissent de
gravir les 116 marches qui
mènent au sommet seront
recompensés par une in-
croyable vue sur Provincetown, les dunes et l'océan
Atlantique. Ce monument
est le plus haute structure
entièrement en granit aux
États-Unis.

*Revenez vers Bradford Street et
dirigez-vous vers l'est jusqu'à
Bangs Street.*

L'accueillant terrain orné de
sculptures de bronze du
**Provincetown Art Association
and Museum** ★ *(460 Commercial St., angle Bangs St., ☎487-
1750, ⇌487-4372, www.paam.
org)* vous attirera autant que
ses salles d'exposition. Fondée en 1914, la collection
compte aujourd'hui pas
moins de 1 600 œuvres
réalisées par des artistes
ayant vécu un jour ou
l'autre sur l'Outer Cape.

*Pour le reste du circuit, vous
aurez besoin d'une voiture ou
d'un vélo. Cette dernière option
prévaut si vous avez envie de
profiter de l'air du large.*

Retournez sur Bradford
Street et tournez à gauche.
Continuez jusqu'à Conwell
Street, qui, après avoir croi-
sé l'autoroute US 6, vous
mènera, sous le nom de
Race Point Road, aux légendaires **Province Lands** ★★★,
celles-là même qui ont
inspiré nombre d'artistes et
de poètes, partie intégrante
du Cape Cod National Sea-
shore.

Quelque peu fantasmago-
rique, surtout lorsqu'il n'y a
pas foule, ce paysage de
dunes peut vous retenir
pendant des heures et
même des journées entiè-
res. Les Province Lands sont
sillonnées par plusieurs
sentiers et pistes cyclables,
sans oublier les magnifiques
plages qui les bordent.

Henry David Thoreau,
grand amoureux de Cape
Cod, entreprit une randonnée pédestre entre Orleans
et Provincetown lors d'un
des trois séjours qu'il effec-
tua sur la presqu'île entre
1849 et 1855; il parla des
Province Lands en termes
de «désert». Des efforts pour
freiner le mouvement du
sable et le déplacement des
dunes furent entrepris dès
le début du XIXe siècle,
efforts encore soutenus au-

jourd'hui notamment par l'implantation d'ammophile *(beach grass)* qui stabilise les dunes.

Pour en savoir plus sur les différents habitats qui se trouvent au cœur de ce paysage grandiose, arrêtez-vous au **Province Lands Visitor Center** ★ *(mi-mars à fin nov tlj 9h à 17h; Race Point Rd., ☎487-1256)*, très populaire auprès des groupes pour les documentaires d'introduction qu'on y présente toutes les heures. Il ne faudrait pas repartir sans avoir emprunté l'escalier menant à la tour d'observation d'où la vue sur Provincetown et les Province Lands est magnifique.

Le centre d'accueil des visiteurs est le point de départ de plusieurs activités guidées fort intéressantes et instructives sur le territoire des Province Lands. À ceux qui désirent explorer ces étendues naturelles en solitaire, le centre remettra de la documentation sur les sentiers pédestres et cyclables.

Non loin, au bout de Race Point Road, vous pourrez profiter de la **Race Point Beach** ★★★ (voir p 114). En empruntant Province Lands Road en quittant le Province Lands Visitor Center, vous verrez se dessiner la silhouette de la Race Point Light, où il est possible de passer la nuit (voir p 145).

Tout juste après, des panneaux indicateurs mènent à la **Herring Cove Beach** ★★★, puis au **First Pilgrims Park**, un autre monument dédié à ceux qui n'ont foulé que pendant cinq semaines le sol de Provincetown. Le paysage est ponctué des lointaines **Long Point Light** et **Wood End Light**.

Ce dernier phare, le Wood End Light, est relié à la terre ferme par une **promenade** ★★★ (un *breakwater*) de presque 2 km de longueur. Sur cette promenade se dessine l'un des plus beaux paysages de toute la presqu'île, qui baigne dans le parfum salin et les brises rafraîchissantes. La vie tranquille de la mer se laisse approcher, et c'est un spectacle grandiose que d'observer les pluviers se repaître d'huîtres échouées dans la lumière du soleil couchant. La promenade, un assemblage d'immenses blocs de pierre, ne convient malheureusement pas aux jeunes enfants qui pourraient s'y blesser, mais, si vous voyagez avec un chien, il sera heureux de se dégourdir librement, à marée basse, dans le sable humide en contrebas.

Circuit C : le sud du cap (de Chatham à Falmouth)

*Les villes de ce circuit bordent la **Route 28**, associée à la côte sud de Cape Cod.*

Chatham et Harwich

La belle et élégante **Chatham** ★★ dévoile ses charmes historiques dans une atmosphère tranquille, idéale pour les vacanciers à la recherche d'une retraite paisible. Même la Route 28 s'y fait coquette et Main Street regorge de boutiques de qualité et de *inns* historiques. Si certains ne viennent que pour le magasinage, d'autres préfèrent ses espaces naturels, tel le Monomoy National Wildlife Refuge (voir plus bas).

Le premier colon blanc, William Nickerson, s'installa dans les environs dans les années 1650. Surnommée le «coude» *(elbow)* du cap, de par sa situation géographique, la ville est entourée d'eau sur trois faces. La Pleasant Bay, le Nantucket Sound et l'océan Atlantique entourent Chatham, qui est

certainement l'un des endroits les plus pittoresques de Cape Cod.

En arrivant de la Route 28, prenez Depot Road jusqu'au **Railroad Museum** *(entrée libre; mi-juin à mi-sept mar-sam 10h à 16h; Depot Rd.)*. Construite en 1887, cette modeste gare ferroviaire abrite une exposition et des objets à caractère ferroviaire, ainsi qu'un fourgon datant de 1910.

Retournez sur la Route 28 et, au rond-point, prenez Main Street à gauche. Tournez à gauche par Shore Road.

La route est bordée de résidences grandioses qui contrastent avec l'atmosphère qui règne au **Fish Pier** ★★★. Un incontournable de toute visite à Chatham, le Fish Pier rappelle aux visiteurs que l'industrie de la pêche est toujours bien vivante dans la ville, malgré ses airs cossus.

Chaque après-midi, autour de 15h, les pêcheurs rentrent au port et nombreux sont ceux qui viennent assister à ce spectacle magnifique, du haut d'une promenade surplombant la mer. Le paysage est spectaculaire, avec, au loin, la pointe sablonneuse de North Beach. Attention cœurs sensibles, il règne sur les lieux une forte odeur de poisson.

En reprenant Shore Road en sens inverse, **The Chatham Light**, cible de nombreux appareils photo, se tient fièrement au bout du «coude», faisant rayonner son faisceau lumineux pouvant être aperçu jusqu'à 45 km de la côte.

Juste en face se trouvent la magnifique bande de sable nommée **South Beach ★★★**, rattachée par peu à la terre ferme, ainsi qu'un vaste stationnement mis à la disposition des visiteurs afin qu'ils puissent savourer la beauté du paysage qui s'ouvre sur l'Atlantique.

Continuez par Bridge Street et tournez à droite par Stage Harbor Road. **The Old Atwood House Museums ★** *(3$; mi-juin à sept mar-ven 13h à 16h; 347 Harbor Rd., ☎945-2493, www.atwoodhouse.org)*, construite en 1752 et sous la protection de la Chatham Historical Society, est l'une des plus anciennes demeures de Chatham. Ses six pièces respectent le style du XVIIIᵉ siècle, avec meubles et tableaux, outils et objets domestiques appartenant à cette époque et à l'histoire de la ville.

North Monomoy et South Monomoy, deux îles distinctes mieux connues sous le nom unique de **Monomoy National Wildlife Refuge ★★**, constituent un arrêt incontournable pour les amateurs de nature. Plus de 1 000 ha de dunes, de marais et d'étangs forment un refuge et un arrêt migratoire pour plus de 285 espèces d'oiseaux. La portion du refuge située sur Morris Island *(après la Chatham Light, tournez à gauche puis à la première rue à droite et suivez les fléchages)* ainsi que les quartiers généraux *(☎945-0594)* sont accessibles en voiture.

Pour visiter les îles qui forment le Monomoy National Wildlife Refuge, il faut louer les services d'un batelier (voir p 119) ou encore se joindre aux **visites guidées ★**, fortement recommandées, du Cape Cod Museum of Natural History *(☎896-3867)* ou du Wellfleet Bay Wildlife Sanctuary *(☎349-2615)*

Reprenez la Route 28 en direction ouest.

Phoques

La tranquille ville de **Harwich** est traversée par la Route 28, charmante et bordée de jolies demeures et boutiques d'antiquités. On s'y arrête pour passer la nuit (voir p 150) ou pour s'amuser sur une de ses plages. La ville se veut le berceau de l'industrie de ce petit fruit qu'est la canneberge, naissance célébrée annuellement par le Cranberry Harvest Festival.

Continuez par la Route 28.

★★

Hyannis

Non, la vivante Hyannis n'est pas une ville. Son territoire est un des sept villages qui forment Barnstable. Mais ne vous y trompez pas, car ce titre de village ne reflète pas du tout l'animation qui règne en permanence sur Main Street, bordée de boutiques et de restaurants, ni la vie culturelle trépidante et sa vie nocturne à en rendre jalouse... n'importe quelle ville!

Si la Route 28 qui traverse Hyannis n'est pas des plus agréables avec ses minigolfs, ses motels et ses *fast-foods*,

les amateurs de magasinage voudront fureter au Cape Cod Mall, le plus grand centre commercial de la presqu'île.

Par contre, le front de mer de la belle Hyannis, et plus particulièrement Hyannis Port, attisent la curiosité avec leurs immenses résidences et leurs plages magnifiques. Les échos remplis du glamour des histoires de la célèbre famille qui y a établi ses quartiers, les Kennedy, attirent plusieurs visiteurs désireux de croquer des yeux les lieux dans laquelle baigne cette famille légendaire.

Girouette

Sur South Street et Ocean Street, vous trouverez les traversiers en partance vers les îles de Martha's Vineyard et de Nantucket (voir p 47). Cette partie de la ville devient très animée le soir.

Débutez la visite par Main Street. Il est recommandé de laisser la voiture à l'un des parcomètres de cette rue.

Le **Village Green** est un petit parc de verdure traversé par des promenades de briques. La statue du Sachem Iyanough, qui aida les premiers colons à s'établir à Hyannis, en marque l'entrée.

Juste à côté, le **John F. Kennedy Hyannis Museum** *(3$; avr à fin oct lun-sam 10h à 16h, dim 13h à 16h; 397 Main St., ☎790-3077 ou 877-HYANNIS)* est un incontournable pour les mordus de cette figure présidentielle mythique. À travers une exposition de photos et une présentation vidéo, les visiteurs revivent les grands moments de la vie de cet homme et de sa famille. L'exposition souligne également le lien qui unissait John F. Kennedy à Cape Cod, et plus particulièrement à Hyannis Port, où le clan Kennedy possède ses quartiers. Le musée abrite une boutique de souvenirs où vous trouverez de tout à l'effigie du défunt président.

Prenez votre voiture ou votre vélo et dirigez-vous vers South Street, puis tournez à droite par Ocean Street. On vient nombreux au **JFK Memorial**, surtout en été. Une fontaine a été installée sur une place circulaire, dotée d'une plaque commémorative. Une sculpture à l'effigie de Kennedy domine le mémorial qui est entouré de bancs et d'arrangements floraux, le tout orné d'un immense drapeau américain.

Falmouth et Woods Hole

Deuxième ville de Cape Cod de par sa population et son territoire, **Falmouth ★** est formée de huit villages : Falmouth Village, East Falmouth, North Falmouth et West Falmouth, Hatchville, Waquoit, Teaticket et Woods Hole.

Bartholomew Gosnold explora le territoire en 1602, une expédition qu'il entreprit à partir du port de Falmouth, en Angleterre, ce qui devait laisser le nom à la ville. Falmouth compte 19 km de plages publiques avec une température estivale moyenne de ses eaux de 21°C, la plus élevée du cap.

Le centre névralgique de la ville est réparti autour du Village Green. La **Falmouth Historical Society** *(3$/ visite des deux maisons; mai à nov lun-jeu 10h à 16h, dim 13h à 16h; Village Green, ☎548-4857)* a sous sa protection deux maisons historiques voisines l'une de l'autre. La Julia Wood House renferme une cuisine coloniale authentique ainsi que des pièces restaurées dans le respect de l'époque.

Attraits touristiques

Les Kennedy à Hyannis Port

Une des plus célèbres familles des États-Unis, les Kennedy, a établi ses quartiers estivaux à Cape Cod, plus particulièrement à Hyannis Port. La ville est bercée des histoires pleines de glamour de son membre le plus célèbre, le défunt président John F. Kennedy. Nombreux encore sont les touristes désireux de croiser l'un des membres du «clan» ou d'apercevoir la demeure qui était considérée, lors des années de présidence de John F. Kennedy, comme la *summer White House*.

Hyannis Port est un quartier résidentiel cossu et tranquille. Plusieurs compagnies de navigation proposent des croisières qui mènent inévitablement devant le domaine qui fait face à la mer, et c'est là, bien souvent, la meilleure façon d'entrevoir un tant soit peu ce lieu mythique.

En 1926, le Malcolm Cottage, au bout de la Marchant Avenue, est loué par Joseph P. Kennedy et sa femme Rose. Trois ans plus tard, le couple décide d'acheter cette modeste demeure en bardeaux et d'engager l'architecte bostonien Frank Paine pour en agrandir la structure et pouvoir ainsi loger leur nombreuse progéniture.

Alors sénateur, John F. Kennedy acheta, en 1956, la demeure adjacente à la résidence familiale, bientôt suivi d'autres membres du clan qui allaient ainsi développer le célèbre domaine des Kennedy *(Kennedy Compound)*.

John F. Kennedy, c'est bien connu, vouait une affection sans borne à ce petit morceau de terre. Il aimait s'y rendre pour *«se sentir revivre»* et *«sentir la force de la mer»*, mais également pour se divertir par une partie de golf ou de football. Il aimait se promener, en solitaire, sur la plage privée de la famille et naviguer sur les eaux du Nantucket Sound, ces mêmes eaux qui allaient engloutir l'avion de son fils John Kennedy Jr. en 1999. L'attachement de John F. Kennedy pour Cape Cod se refléta dans la création du Cape Cod National Seashore, par un décret en date du 7 août 1961.

La Conant House a une vocation toute différente; on retrouve au premier étage une collection d'objets reliés à l'industrie baleinière, des harpons aux corsets en passant par les baleines de parapluies. Au deuxième étage, une exposition retrace les faits plus ou moins saillants de l'histoire de Falmouth.

Et, si vous avez un soudain accès de patriotisme américain, vous pourrez vous intéresser à Katherine Lee Bates, auteure de *America the Beautiful*, à laquelle une pièce de la Conant House est consacrée. Une plaque commémore également son lieu de naissance, au 16 Main Street, mais on ne peut pas visiter l'intérieur de la demeure.

Au bout de Depot Avenue, les **Beebe Woods** mettent un peu de verdure sur votre route vers le centre de Falmouth. Ce boisé de 155 ha est sillonné de sentiers pédestres.

À partir de Main Street, tournez à gauche par Woods Hole Road.

La petite communauté de **Woods Hole ★★** charmera ceux et celles qui osent s'y aventurer pour une autre raison que son traversier vers les îles (voir p 47).

Chercheurs et étudiants se côtoient dans une atmosphère détendue, inspirés des belles découvertes des réputées institutions de la ville. C'est tout de même la Woods Hole Oceanographic Institution qui permit l'exploration de l'épave du *Titanic*, avec son submersible *ALVIN*.

Water Street, la rue principale, est bordée de boutiques, de restaurants et de bars. Il est à noter cependant que les espaces de stationnement sont rares sur cette rue comme dans toute la localité, et que ceux situés près des quais sont dispendieux (15-20/jour). Peut-être vaudrait-il mieux alors emprunter le Shining Sea Bike Path (voir p 133) ou le Whoosh Trolley (voir p 47) à partir de Falmouth pour se rendre à Woods Hole.

Juste avant l'embranchement qui mène au traversier, vous verrez le **Woods Hole Historical Museum** *(dons; mi-juin à mi-sept mar-sam 10h à 16h; ☎548-7270)*, installé dans une demeure au toit en bardeaux de cèdre. On visite, accompagné, un ancien atelier qui contient des outils, ainsi qu'un hangar abritant d'anciens bateaux.

À partir de Water Street, tournez à droite par School Street pour visiter la **Woods**

Attraits touristiques

Hole Oceanographic Institution (WHOI) Exhibit Center ★★ *(dons suggérés : 2$; lun-sam 10h à 16h30, dim midi à 16h30; 15 Scholl St., ☎289-2252)*, qui plaira autant aux tout-petits qu'aux adultes.

Le rez-de-chaussée retrace l'histoire du submersible *ALVIN*, conçu dans les années 1950 pour la recherche sous-marine. On y trouve une réplique de l'engin dans lequel les enfants peuvent s'asseoir. À l'étage étage, vidéos et photos font revivre les grands moments de la découverte du *Titanic* par une équipe conjointe France–États-Unis dirigée en 1985 par Robert Ballard, du WHOI.

Juste à côté d'un comptoir de souvenirs, une salle est consacrée à la vie marine microscopique.

En revenant jusqu'à Water Street, vous croiserez le **Woods Hole Oceanographic Institution Information Office** *(sur réservation, lun-ven 8h à 17h; 93 Water St., ☎289-2252)*, qui offre en été des visites guidées sur les quais de la ville.

Nobska Lighthouse

Juste un peu plus loin, le **Waterfront Park ★** est une promenade avec des bancs installés en bordure du Vineyard Sound. Il fait bon s'y asseoir et observer les activités du port ou le va-et-vient des étudiants et des chercheurs.

Au bout de Water Street, tournez à droite par Albatross Street. Le **Fisheries Service Aquarium ★★** *(mi-juin à mi-sept tlj 10h à 16h, reste de l'année lun-ven 10h à 16h; 166 Water St., ☎495-2001)*, dans un immense bâtiment de briques, n'a rien de l'aquarium récréatif traditionnel. Les enfants raffolent du bassin extérieur où deux phoques pataugent tranquillement. L'intérieur est rempli d'aquariums et de panneaux éducatifs; même la salle des chercheurs est ouverte aux curieux.

Rien de mieux pour terminer la journée que de revenir sur Woods Hole Road et d'emprunter Church Street, qui vous mènera à l'un des phares les plus photographiés de Cape Cod, le **Nobska Lighthouse ★★★** *(ouvert au public selon un horaire variable)*. En retrait du circuit de visite principal, cet attrait vaut le détour

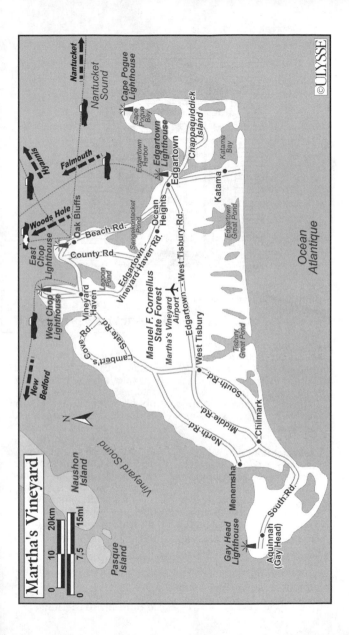

Porte typique de Martha's Vineyard

pour la beauté du paysage dans lequel il baigne, dominant le Vineyard Sound.

Retournez vers Falmouth et empruntez la Route 28 en direction nord. À l'intersection des routes 28 et 151, prenez la Route 151 pendant 6,5 km. Tournez à gauche par Currier Road puis à droite par Ashumet Road.

L'**Ashumet Holly and Wildlife Sanctuary** ★ *(du lever au coucher du soleil; 286 Ashumet Rd., East Falmouth, ☎563-6390, www.massaudubon.org)* est un sanctuaire de 20 ha réputé pour ses 65 variétés de gui, où plus de 130 espèces d'oiseaux font halte. Des sentiers traversant différents habitats sillonnent le sanctuaire, administré par la Massachusetts Audubon Society.

Circuit D : Martha's Vineyard

Martha's Vineyard ★★★ aurait ainsi été baptisée du fait que la fille de l'explorateur Bartholomew Gosnold se prénommait Martha, et que les vignes sauvages qui y poussaient en rendaient l'exploration difficile. Longue de 35 km et large de seulement 11,5 km, elle est plus grande que Nantucket, mais ne s'en parcourt pas moins facilement en quelques jours. Les attrayantes villes de Vineyard Haven, Oak Bluffs et Edgartown en sont les principales enclaves d'intérêt pour les visiteurs.

Notez qu'une visite hivernale offre une expérience

totalement différente, car il y a alors très peu de touristes, les contacts avec la population permanente se font beaucoup plus librement, et un doux manteau de neige immaculée recouvre le relief ondulant de l'île.

Vineyard Haven

Bien qu'elle incarne le siège commercial et le principal port d'entrée de l'île, Vineyard Haven n'a rien perdu de son charme. Nichée entre deux pointes de terre saillantes, l'East Chop et le West Chop, cette ville n'a pas tardé à devenir un refuge naturel pour les marins en quête d'un havre aux eaux plus calmes et aux marées moins fortes. Moins touristique qu'Oak Bluffs et Edgartown, elle a par ailleurs conservé son aura de petite ville tranquille, même si les vendeurs de t-shirts et les galeries d'art s'y font passablement nombreux. Il s'agit en fait de la seule localité vraiment active à longueur d'année sur Martha's Vineyard, et l'on s'y rend aussi bien pour ses activités culturelles que pour ses restaurants et ses boutiques.

Dès la descente du traversier, tout au bord de la mer, la chambre de commerce de Martha's Vineyard exploite un **kiosque d'information** *(en saison 8h à 20h)* fort utile.

Remontez Union Street en vous éloignant du port et tournez à droite par Main Street pour ensuite emprunter la première rue à gauche, soit Church Street.

Sur votre droite se dresse la **Stone Church**, une construction plutôt originale en pierres toutes rondes telles qu'on s'attendrait à en trouver sur une plage. Cette église a été bâtie en 1926 en remplacement d'une ancienne église en bois, et elle accueille désormais une communauté de la Christ United Methodist Church.

De part et d'autre de l'église s'étire l'historique **William Street** ★, bordée de maisons ayant appartenu aux anciens capitaines de bateau de l'île. La majorité d'entre elles sont revêtues de bardeaux blancs et datent du milieu du XIXe siècle.

Quelque peu en retrait du centre de la ville, mais tout de même accessible en suivant Main Street vers l'ouest, que ce soit à vélo ou en voiture, le **West Chop Lighthouse** s'élève au-dessus du Vineyard Sound. Ce phare fut le dernier de l'île à être gardé.

Attraits touristiques

Gingerbread Cottages

Du centre de la ville, prenez State Road vers le sud.

À plus de 5 km au sud de Vineyard Haven, surveillez l'embranchement avec Stoney Hill Road, un chemin non revêtu qui vous conduira aux **Chicama Vineyards** *(visites et dégustations gratuites; juin à oct lun-sam 11h à 17h, dim 13h à 17h; Stoney Hill Rd., ☎639-0308).* Il s'agit d'un des vignobles qui justifient un tant soit peu le nom de l'île, et vous y trouverez quelques bons produits qui méritent d'être goûtés (entre autres un vin de table à base de canneberges).

De Vineyard Haven, suivez Beach Road jusqu'à Oak Bluffs.

Oak Bluffs

Pour passer un bon moment près de l'eau, songez à l'**Owen Park Beach**, une plage située aux abords immédiats de Main Street et du port de la ville. Elle n'est certes pas très grande, non plus que la plus spectaculaire de l'île, mais elle s'avère tout de même on ne peut mieux située. La **Tisbury Town Beach** *(Owen Little Way)*, une autre plage publique, se trouve pour sa part tout à côté du Vineyard Haven Yacht Club.

L'actuelle petite ville d'Oak Bluffs, qui faisait à l'origine partie d'Edgartown et qui prit par la suite le nom de Cottage City, a vu le jour en 1835 lorsque quelques méthodistes d'Edgartown y plantèrent leurs tentes dans un bosquet de chênes. Les regroupements en plein air visant à raviver la foi des croyants jouissaient d'une grande popularité à l'époque, et c'est ainsi que des méthodistes venus de tous les coins des États-Unis commencèrent à affluer vers la région. En 1880 s'y dressait déjà, chaque été, une véritable petite ville de tentes et de cottages.

Les années qui suivirent amenèrent Oak Bluffs à devenir une station balnéaire attirant des visiteurs de toutes confessions religieuses, de fait la première station estivale de l'île, celle qui devait donner le coup d'envoi à l'industrie touristique aujourd'hui si lucrative de Martha's Vineyard. Les habitants de la région la décrivent comme la plus «clinquante» de toutes les villes de l'île, à savoir celle qui est le plus axée sur le tourisme.

Entamez votre visite d'Oak Bluffs à l'**Oak Bluffs Visitors Center** *(mai à oct tlj 9h à 17h; à l'angle de Circuit Ave. et Lake Ave.)*, où vous obtiendrez des renseignements à jour.

Tout juste derrière le centre d'information vous attend le

Flying Horses Carousel *(1$/tour de manège; mai à oct tlj 11h à 16h30, juin à sept 9h30 à 22h)*, à ce qu'on dit le plus vieux carrousel à plate-forme en activité de tout le pays. Construit en 1876, il compte 22 chevaux de bois aux crinières faites à la main avec du vrai crin de cheval.

Continuez par Lake Avenue en direction de l'eau, et tournez à droite par Sea View Avenue.

Vous atteindrez bientôt l'**Ocean Park**, un parc de 3 ha entouré de riches maisons Reine Anne et néogothiques, et tout indiqué pour une pause détente tout en respirant l'air frais de l'océan. Vous y trouverez un petit kiosque à musique où l'on présente des concerts au cours de la saison estivale.

En quittant le parc, suivez Park Avenue en vous éloignant de l'océan, puis tournez à gauche par Circuit Avenue.

Circuit Avenue est la principale artère commerciale d'Oak Bluffs. Flanquée de bars et de boutiques, c'est aussi la plus affairée.

Tournez à droite dans la petite rue transversale qu'est Tabernacle Avenue.

Vous trouverez alors le plus important attrait de la ville, soit le **Camp Ground**, ainsi que la plus grande concentration de **Gingerbread Cottages** ★★ (cottages à dentelles de bois). Il s'agit là du lieu de rencontre initial des méthodistes, à partir duquel la ville d'Oak Bluffs s'est développée. La pièce maîtresse en est un **Tabernacle**, soit une structure en acier érigée en 1879 en remplacement d'une grande tente centrale jadis plantée sur les lieux. Vous trouverez le Tabernacle au beau milieu du **Trinity Park**, une étendue circulaire et verdoyante entourée de petits cottages très colorés, qui de rose, qui de jaune, de vert ou de bleu, chaque maison semblant sortir tout droit d'un conte de fées. Ces maisons arboraient à l'origine des styles victoriens à la mode à Newport (Rhode Island), si ce n'est que leurs propriétaires les dotèrent par la suite d'attributs uniques, telles ces frises en filigrane donnant l'impression qu'un glaçage en recouvre les toits et déborde de leurs corniches. Certains les trouvent charmantes, d'autres un peu trop criardes, mais elles valent de toute façon le coup d'œil.

Il y a aussi un **Cottage Museum** *(1$; mi-juin à sept lun-sam 10h à 16h; 1 Trinity Park)*, dont les salles sont consacrées à l'aménagement des cottages au cours des 100 dernières années.

À la recherche d'une plage? L'**Eastville Beach** se trouve près du pont qui relie Oak Bluffs à Martha's Vineyard. Quant à l'**Oak Bluffs Town Beach**, elle débute au débarcadère de la Steamship Authority et prend fin à la première jetée en direction d'Edgartown; les eaux en sont plutôt calmes et peu profondes. Enfin, la magnifique **Joseph Sylvia State Beach** ★★ s'étire sur près de 4 km entre Oak Bluffs et Edgartown le long de Beach Road (voir p 116).

Quittez Oak Bluffs par Sea View Avenue, qui devient par la suite Beach Road, et suivez-en le tracé panoramique en bordure de l'océan vers le sud sur 9 km pour atteindre Edgartown.

★★

Edgartown

Edgartown est la plus historique, et sans doute la plus charmante des communautés de Martha's Vineyard. Il s'agit d'une ville coloniale caractéristique de la Nouvelle-Angleterre dans ce qu'elle a de plus classique avec son port ravissant, tant et si bien qu'on l'a surnommée «la grande dame de Martha's Vineyard». L'industrie de la pêche à la baleine y a donné naissance à une myriade de constructions néoclassiques couvertes de lierre ainsi qu'à plusieurs églises classiques, qui ont toutes été soigneusement préservées jusqu'à nos jours.

Entamez votre visite à l'**Edgartown Visitors Center** *(mai à oct tlj 8h30 à 22h; 22 Church St., ☎627-6029)*, qui est en outre le point de départ et d'arrivée des transports en commun de l'île.

En sortant du centre, tournez à gauche et prenez Church Street vers le sud.

Sur votre droite surgit un complexe de bâtiments historiques qui regroupe le **Vincent House Museum**, la **Dr. Daniel Fisher House** et l'**Old Whaling Church ★** *(musée seulement 3$, 6$ pour visiter les trois bâtiments; musée ouvert en saison lun-sam 10h30 à 15h, visites des trois bâtiments lun-sam 11h à 14h; ☎627-8619)*. La Vincent House s'impose comme la plus vieille résidence de Martha's Vineyard; il s'agit de la petite structure en bardeaux de cèdre nichée derrière l'église, et elle renferme des vitrines retraçant 300 ans de vie sur l'île. La Dr. Daniel Fisher House a été construite en 1840 pour un magnat local de l'industrie baleinière, et elle abrite désormais le Martha's Vineyard Preservation Trust, responsable de la gestion du complexe; il

s'agit là d'un bel exemple de la richesse dans laquelle pouvaient vivre certains insulaires aux jours fastes de la pêche à la baleine. Enfin, l'Old Whaling Church fait figure de point de repère étincelant sur la rue principale d'Edgartown; cette église méthodiste devint le plus important lieu de culte de la ville dès après sa construction, en 1843, par des capitaines de baleiniers.

Empruntez School Street en face de l'Old Whaling Church, et suivez-la sur trois quadrilatères.

La **Martha's Vineyard Historical Society** *(6$; en été mar-sam 10h à 17h, en hiver mer-ven 13h à 16h et sam 10h à 16h; 59 School St., ☎627-4441)* gère ici un autre complexe de bâtiments, dont le **Vineyard Museum**, où elle expose les quelque 25 000 objets de sa collection de manière à retracer l'histoire de l'île. L'historique lentille Fresnel du Gay Head Lighthouse (phare) se trouve aussi sur les lieux.

Revenez sur vos pas jusqu'à Main Street, et prenez-la à droite jusqu'au port d'Edgartown. Longez le port par la gauche sur Dock Street jusqu'au Memorial Wharf.

Au Memorial Wharf vous attend un petit traversier *(1,50$/passager, 4$/vélo,*

Attraits touristiques

6$/voiture) vers **Chappaquid-dick Island** ★★, ou «Chappy», ainsi que l'appellent affectueusement les habitants de la région. Il s'agit d'un endroit rêvé pour renouer avec la nature et échapper aux hordes de touristes, dans la mesure où l'on n'y trouve que peu de maisons et où la plus grande partie des terres en sont protégées à l'intérieur du **Cape Pogue Refuge** et de la **Wasque Reservation**. Les activités de plein air y sont nombreuses, et l'on y propose par ailleurs des visites du Cape Poque Refuge *(visites axées sur l'histoire naturelle 30$, visite du phare de Cape Pogue 12$; ☎627-3599)* au départ du **Mytoi Garden**, un jardin japonais situé tout au bout de Chappaquiddick Road. Chappy recèle également l'**East Beach** ★★, une des plus belles et des plus paisibles plages de l'île (voir p 116).

La **Katama Beach** ★★ (voir p 116) se trouve hors des limites de la ville.

En quittant Edgartown, prenez l'Edgartown-West Tisbury Road vers l'ouest et passez la Manuel F. Cornellus State Forest ainsi que le Martha's Vineyard Airport (sur la droite) pour vous rendre à West Tisbury.

Le haut de l'île

Les trois villes que sont Vineyard Haven, Oak Bluffs et Edgartown occupent ce qu'il est convenu d'appeler «le bas de l'île» dans la terminologie nautique, tandis que les plus petits villages et les grands espaces ouverts du sud-ouest de Martha's Vineyard composent «le haut de l'île».

West Tisbury est un petit village doté d'une église toute blanche et d'un bureau de poste, entouré de fermes, d'étangs et de bien peu d'autres choses, exception faite peut-être de l'**Alley's General Store** *(lun-sam 7h à 18h et dim 8h à 17h; West Tisbury)*, soit une structure en bardeaux de cèdre récemment achetée par les Wampanoags de l'île. Il s'agit d'un magasin général traditionnel, caractéristique de ceux qu'on trouve aux États-Unis, et vous y trouverez de tout, des revues illustrées aux outils les plus courants, sans compter que les gens du coin s'y retrouvent pour échanger nouvelles et potins.

Noepe

«Nous avons vu de nombreux Indiens, grands, trapus et osseux... Ils nous ont donné du poisson déjà bouilli (qu'ils transportaient dans des paniers faits de brindilles, semblables à nos paniers d'osier), que nous avons mangé et estimé être d'eau douce. Ils nous ont aussi donné du tabac, séché et réduit en poudre, très fort et très agréable au goût, bien meilleur que tout ce que nous avons pu goûter en Angleterre.» **John Brereton, qui accompagnait Bartholomew Gosnold lors de son voyage d'exploration en 1602.**

Les Wampanoags, dont le nom signifie «peuple des premières lueurs du jour», ont vécu sur Martha's Vineyard pendant des milliers d'années. Selon leurs croyances ancestrales, l'île se serait formée à une époque où les gla-ciers déferlaient sur la terre et où un être bienveillant du nom de Moshup parcourait les vastes étendues. Un jour, alors qu'il se rendait du continent aux falaises d'Aquinnah et qu'il était pris d'une grande fatigue, il aurait lourdement traîné du pied et ainsi provoqué une fissure dans la glaise. Une eau argentée s'y infiltra et, peu à peu, le vent et les marées contribuèrent à élargir la crevasse jusqu'à créer l'île de Noepe.

L'histoire veut que les Wampanoags aient été les premiers habitants de cette terre nouvellement formée. Au cours des millénaires qui suivirent, ils seraient devenus les alliés de Noepe, depuis ses rivages poissonneux jusqu'à ses forêts profondes.

Tout juste à l'extérieur de West Tisbury vous attend le **Polly Hill Arboretum** (5$; mai à oct tlj 7h à 19h, fermé mer le reste de l'année; 809 State Rd., ☎693-9426), un musée vivant de 24 ha où poussent plus de 1 600 espèces végétales boisées et herbacées.

De West Tisbury, prenez Middle Road vers le sud jusqu'à Chilmark, puis tournez à droite pour atteindre Menemsha.

Menemsha ★★★ est un pittoresque petit village de pêcheurs tout à fait saisissant. Il a en fait été construit de toutes pièces dans les années 1970 pour le tournage du film *Jaws*, mais est depuis demeuré un centre de pêche opérationnel. Guère plus qu'une maigre collection de cabanes en bardeaux de cèdre, il n'en constitue pas moins l'un des endroits les plus paisibles et les plus agréables de l'île. Pour optimiser votre expérience, arrêtez-vous à l'une ou l'autre des cabanes dressées en bordure du port pour y acheter un homard fraîchement pêché que vous mangerez à mains nues sur le quai.

À côté du port de Menemsha s'étend la **Menemsha Beach** (voir p 116).

En quittant Menemsha, retournez à Chilmark et tournez à droite par South Road.

Retirée de tout dans l'angle sud-ouest de l'île, **Aquinnah** (qui a porté le nom de Gay Head jusqu'en 1998) accueille de nombreux résidants permanents de l'île, de même que des descendants des premiers habitants des lieux, soit les Wampanoags. En 1987, la tribu wampanoag d'Aquinnah (Gay Head) est devenue la première tribu amérindienne à entretenir un rapport officiel de gouvernement à gouvernement avec le gouvernement des États-Unis.

Homards

Le principal attrait de la ville tient aux **Clay Cliffs of Aquinnah ★**, vraisemblablement le point de repère le plus photographié de l'île. Cette impressionnante succession de falaises sur environ 1,5 km présente un étonnant mélange de sable, de gravier et d'argile aux teintes les plus variées. Il s'agit là d'un site géologique important, l'érosion y ayant mis au jour d'incroyables fossiles d'animaux tels que chevaux sauvages, chameaux et baleines au fil des ans. Malheureusement, les falaises sont menacées par cette érosion constante, et il est strictement interdit d'y grimper ou d'en prélever quelque matière que ce soit. Le poste d'observation des falaises est en outre passablement éloigné, de sorte que les cyclistes qui effectuent le long trajet requis pour l'atteindre risquent d'être quelque peu déçus par le spectacle.

Près du poste d'observation des falaises se dresse le **Gay Head Lighthouse** *(2$; visites au coucher du soleil ven, en saison sam-dim, ☎645-2211)*, un beau phare arrondi en brique rouge qui domine l'océan Atlantique.

De la **Moshup Beach ★★**, les falaises sont tout particulièrement magnifiques (voir p 117).

Non loin d'Aquinnah s'étire par ailleurs la **Lobsterville Beach ★** (voir p 117).

Circuit E : Nantucket

L'île tout à fait charmante de **Nantucket ★★★**, qui repose à 40 km des côtes du Massachusetts, a vu sa population passer de 10 000 habitants à seulement 4 000 habitants entre 1840 et 1870, au déclin de l'industrie prospère de la pêche à la baleine. Le développement du tourisme s'imposait

dès lors comme un choix évident, et les entrepreneurs n'ont pas tardé à vanter les mérites des plages de l'île. C'est ainsi que, dans les années 1870, Nantucket était déjà présentée aux habitants du continent comme une station balnéaire de rêve. Il en résulte que l'île a à son actif quelque 130 ans d'expérience dans l'accueil des touristes.

Nantucket incarne la quintessence même du pittoresque avec ses innombrables maisons de pêcheurs de baleines en bardeaux de cèdre, ses rues pavées en cailloutis et ses nombreux bâtiments historiques, quoique le pittoresque perde quelque peu de son attrait les fins de semaine d'été, lorsque les visiteurs envahissent les lieux en quête de souvenirs aux prix excessifs. Pour en capturer tout le charme, voire devenir amoureux de l'endroit, il est donc nettement préférable de s'y rendre au printemps, en automne ou en hiver.

★★

Nantucket

À la différence de Martha's Vineyard, l'île ne possède qu'un seul centre commercial d'une quelconque envergure, Nantucket, avec ses vieilles maisons bicente-

Attraits touristiques

naires en bardeaux de cèdre rembrunis jusqu'à prendre une teinte argentée sous les assauts répétés de l'air océanique qui incitent les passagers du traversier accostant au port à pousser des oh! et des ah! Le plaisir des touristes se trouve d'ailleurs bientôt accru lorsqu'ils découvrent que la ville se parcourt on ne peut mieux à pied.

Ce circuit débute au Steamboat Wharf, soit le point d'arrivée de la plupart des voyageurs.

Vous trouverez un kiosque d'information saisonnier *(10h à 17h30)* à l'extrémité ouest du Steamboat Wharf, sur Broad Street.

En continuant vers l'ouest au départ du quai, vous aurez tôt fait d'atteindre le **Whaling Museum** ★★ *(5$ ou laissez-passer; juin à sept tlj 10h à 17h, heures restreintes le reste de l'année; 13 Broad St.)*. Ce musée, qui occupe un bâtiment en brique rouge ayant jadis abrité une usine de bougies à base d'huile de blanc de baleine, constitue une première halte de choix, car ses vitrines d'exposition permettent de mieux apprécier le passé baleinier de Nantucket.

Le Whaling Museum et plusieurs des attraits décrits ci-dessous sont régis par la **Nantucket Historical Associa-**

tion (NHA), qui vous en donne pour votre argent à tous coups. Il est d'ailleurs avantageux de se procurer un laissez-passer d'une journée pour tous les musées et bâtiments historiques de la ville au coût de seulement 10$.

Près du Whaling Museum se dresse le **Peter Foulger Museum** *(5$ ou laissez-passer; juin à sept tlj 10h à 17h, heures restreintes le reste de l'année; 15 Broad St.)*, qui présente des expositions temporaires tirée de la vaste collection de la NHA.

Continuez vers l'ouest par Broad Street et, une rue plus loin, tournez à droite par Centre Street, que vous suivrez en direction nord jusqu'au quintuple carrefour. Prenez West Chester Street vers l'ouest, et tournez à droite par Sunset Hill Lane.

L'**Oldest House** *(droit d'entrée ou laissez-passer; juin à sept tlj 10h à 17h, heures restreintes au printemps et en automne; Sunset Hill Ln.)*, au nom peu inspiré, est une autre propriété de la NHA, et sa rareté tient du fait qu'elle

Baleine à bosse

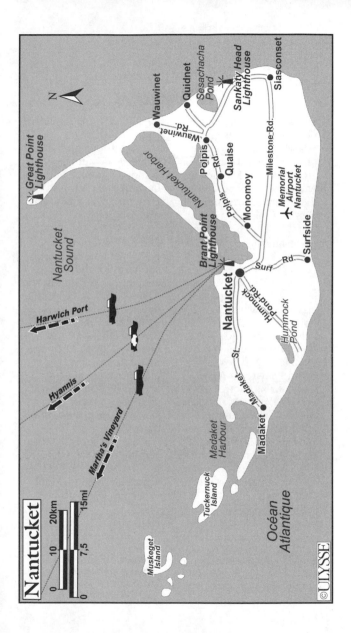

Maria Mitchell

Les *Nantucketers* sont fiers de l'héritage que leur a laissé l'astronome Maria Mitchell. Née dans l'île en 1818, elle a été initiée aux étoiles par son père, lui-même grand amateur d'astronomie.

À l'instar de la plupart des enfants quakers de l'île à l'époque, Mitchell a été éduquée à la maison par ses parents. À l'âge de 12 ans, elle prit part à l'observation d'une éclipse solaire aux côtés de son père, et, à 14 ans, elle aidait déjà les capitaines de navires à régler leurs chronomètres en vue de leurs voyages de pêche à la baleine. Mitchell devint enseignante, puis la première libraire du Nantucket Athenaeum, mais son heure de gloire ne sonna vraiment qu'en 1847, lorsqu'elle traça la trajectoire d'une comète à l'aide de son télescope. On lui attribua alors honneurs et récompenses, y compris une médaille d'or décernée par le roi du Danemark, lui aussi féru d'astronomie.

Elle fut finalement désignée, par l'American Association for the Advancement of Science and Nature, comme la seule et unique femme autorisée à travailler à l'élaboration des éphémérides nautiques, ce qui en fit la première Américaine à gagner sa vie en tant que femme de science. Au cours des années qui suivirent, elle fonda en outre l'American Association for the Advancement of Women. Elle mourut le 28 juin 1889 et repose au Prospect Hill Cemetery de Nantucket.

date de l'époque de la première colonie de l'île. Elle a en effet été construite en 1686.

Retournez jusqu'à Centre Street et prenez-la vers le sud pour ensuite tourner à droite par Liberty Street, que vous suivrez vers l'ouest jusqu'à la prochaine intersection.

La **Macy Christian House** *(droit d'entrée ou laissez-passer; tlj en saison; 12 Liberty St.)* a été construite au début du XVIIIᵉ siècle, et a servi de résidence à Nathaniel Macy, un marchand de l'île qui a fait fortune avant la guerre d'Indépendance des États-Unis. La maison arbore un style néocolonial très à la mode à cette époque, et renferme un mobilier de même facture. Elle a fait l'objet d'une restauration complète vers la fin du XIXᵉ siècle.

Cerf de Virginie

À une rue au sud de Liberty Street se trouve **Main Street ★★**, la fabuleuse artère pavée et bordée d'arbres de Nantucket. Il s'agit là d'un endroit on ne peut mieux choisi pour s'asseoir tranquillement et observer les passants (et les touristes!).

En suivant Main Street vers l'ouest, vous apercevrez, après quelques quadrilatères, la **Hadwen House ★** *(4$ ou laissez-passer; mi-juin à sept tlj 10h à 17h, heures restreintes au printemps et en automne; 96 Main St.)*, la plus élégante des rares maisons néoclassiques de l'île.

Hadwen était un négociant en huile de baleine et en bougies qui tenait à construire «la plus majestueuse maison de Main Street». Le mobilier et la décoration se révèlent impressionnants, et les guides sont bien informés.

Une rue plus à l'ouest surgit un ensemble de quatre structures relevant de la Maria Mitchell Association. La **Mitchell House** *(3$; en saison mar-sam 10h à 16h; 1 Vestal St., ☎228-2896)* est le lieu de naissance de l'astronome chéri de Nantucket (voir p 105), et illustre bien le simple style quaker du XIXᵉ siècle. La **Hinchman House** *(3$; en saison mar-sam 10h à 16h; 7 Milk St., ☎228-0898)* se veut pour sa part un musée d'histoire naturelle locale. Le **Vestal Street Observatory** *(3$; toute l'année; 3 Vestal St.)* propose des visites guidées et, à l'extérieur, des maquettes du système solaire. Et la **Science Library** *(toute l'année, mar-sam 10h à 16h en été; 2 Vestal St., ☎228-9219)* renferme une collection complète de documents, de journaux de recherche et de vitrines historiques, ainsi qu'une grande partie des papiers personnels de Mitchell. Ces lieux culturels peuvent aussi être visités grâce à un laissez-passer *(7$)*, valable pour l'ensemble des propriétés.

Suivez Vestal Street vers l'ouest jusqu'à Quaker Road, que vous prendrez à gauche, en direction sud, alors qu'elle devient Prospect Street.

Old Mill

L'**Old Mill** *(droit d'entrée ou laissez-passer; mi-juin à sept 10h à 17h, heures restreintes au printemps et en automne; Prospect St.)*, une autre propriété gérée par la NHA, est le plus récent des nombreux moulins à vent qui se sont dressés à cet emplacement. Il demeure en activité, et sa visite permet de mieux comprendre comment ses engrenages façonnés à la main utilisent la force du vent pour moudre le maïs.

★★

Le reste de l'île

À partir de Nantucket, on peut facilement accéder au reste de l'île, qui ne mesure après tout que 22 km sur 3 km. Pour ce faire, une bicyclette ou un vélomoteur sont tout indiqués, le relief étant très plat. Et vous ne manquerez pas d'apprécier les nombreux atouts des plages, des terres humides, des landes et des prairies de Nantucket.

Un bon itinéraire consiste à prendre Polpis Road (ou la piste cyclable qui la longe) vers l'est sur au rond-point qui se trouve immédiatement au sud-est de Nantucket. Environ 4 km plus loin vous attend le **Nantucket Life Saving Museum** *(3$; mi-juin à oct tlj 9h30 à 16h; 158 Polpis Rd., ☎228-1885)*, voué aux efforts des *Nantucketers* (habitants de Nantucket) pour sauver des vies en mer.

Great Point Lighthouse

Encore plus loin sur Polpis Road, l'embranchement avec Wauwinet Road mène au **Coskata-Coatue Wildlife Refuge** ★★ *(30$; visites mi-mai à mi-oct tlj 9h30 et 14h30 du stationnement du Wauwinet Inn, ☎228-6799).* Téléphonez au préalable pour réserver vos places en vue de prendre part à l'une ou l'autre des deux visites quotidiennes du plus grand marais salin de l'île à bord d'un véhicule conçu pour rouler sur le sable. La visite de trois heures se termine par l'ascension du **Great Point Lighthouse** ★★, le phare qui marque le point le plus au nord de Nantucket.

Retournez jusqu'à Polpis Road, que vous suivrez en direction sud.

Le **Sankaty Head Lighthouse** (phare) se fait visible sur la mer (à votre gauche) avant d'atteindre le village de 'Sconset ★ sur le littoral sud-est de l'île. Au XIXe siècle, les Nantucketers avaient l'habitude de passer leurs vacances dans ce village de pêche constitué de huttes et de cottages tapissés de roses. L'écrivain John Steinbeck y a lui-même passé un été dans les années soixante, alors qu'il travaillait sur *À l'est d'Éden.* Vous n'y trouverez pas d'attraits à proprement parler, mais il s'agit là d'un des endroits les plus paisibles de l'île durant la saison estivale, tout à fait propice à une journée de détente.

Plein air

Les amateurs de plein air seront comblés par la diversité d'activités qui leur sont réservées sur Cape Cod ainsi que sur Martha's Vineyard et Nantucket. Les divers écosystèmes qu'on y retrouve offrent un fantastique terrain de jeux et de découvertes.

Le nautisme, tout comme la randonnée pédestre et le cyclotourisme, entre autres sur le Cape Cod Trail, une piste cyclable qui s'étend sur 22,5 km, figurent parmi les activités qui vous permettront de jouir de toutes ses splendeurs.

Vous trouverez dans ce chapitre une description des principales activités de plein air. Cette liste est, bien sûr, incomplète en raison du grand choix d'activités possibles. À vous d'inventer la vôtre!

Parcs

National Parks

Le site Internet et les adresses suivantes vous seront

Les plages du Cape Cod National Seashore

Il en coûte 10$ par voiture pour profiter d'un espace de stationnement près des plages suivantes, toutes placées sous la surveillance de sauveteurs, et ce, tous les jours entre juillet et début septembre :

La **Coast Guard Beach** et la **Nauset Light Beach** (Eastham), la **Marconi Beach** (South Wellfleet), la **Head of the Meadow Beach** (North Truro), la **Herring Cove Beach** (Provincetown), la **Race Point Beach** (Provincetown).

Seule la Herring Cove Beach, à Provincetown, dispose de comptoirs de restauration.

Le **surf** est une activité populaire qui est permise en dehors des zones de plage protégées.

La **planche à voile** est permise en dehors des zones de plage surveillées par des sauveteurs.

très utiles pour dénicher de l'information supplémentaire concernant les parcs nationaux. Ces coordonnées vous permettront, entre autres, de connaître la réglementation des parcs, de réserver un camping, de planifier votre voyage ainsi que de vous familiariser avec le parc qui vous intéresse à l'aide d'une visite virtuelle.

National Park Service

Director
National Park Service
1849 C Street NW
Washington, DC 20240
☎ *(202) 208-6843*

Northeast Region
Regional Director
National Park Service
U.S. Custom House
200 Chestnut St., Fifth Floor
Philadelphia, PA 19106
☎ *(215) 597-7013*
www.nps.gov

★ ★ ★

Cape Cod National Seashore

Le Cape Cod National Seashore est une véritable merveille naturelle qui renferme quelques-uns des plus magnifiques paysages de Cape Cod et certainement les plus belles plages.

Les amoureux de la presqu'île commencèrent à s'inquiéter du développement résidentiel et commercial qui menaçait certains des plus beaux coins de Cape Cod; ils devaient intervenir sinon perdre à jamais des espaces naturels uniques où habitent des centaines d'espèces animales et végétales. C'est ainsi que, le 7 août 1961, le président John F. Kennedy sauva quelque 11 000 ha de hautes terres réparties sur le territoire de six villes : Chatham, Orleans, Eastham, Wellfleet, Truro et Provincetown. Cet espace, qui fut baptisé le Cape Cod National Seashore, a pour mission de protéger et de conserver les richesses naturelles de son territoire.

Des centaines de kilomètres de sentiers pédestres ou de pistes cyclables serpentent à travers différents habitats favorisant la diversité de la faune et de la flore : dunes, terrains boisés, marais d'eau salée et plages. Le territoire du Cape Cod National Seashore est idéal pour l'observation des oiseaux puisque plus de 350 espèces y ont été recensées, de même que des ratons laveurs, renards et coyotes, chevreuils, lièvres et petits rongeurs. Des phoques gris et des phoques communs ont également été observés. Quant aux amateurs de plages, ils seront charmés par les magnifiques étendues de sable blanc bordant l'océan Atlantique, parmi lesquelles figurent les plus belles du cap (voir p 112).

Pour de plus amples renseignements :

Salt Pond Visitor Center
☎ *255-3421*
   www.nps.gov/caco

Planche à voile

Plages

L'Old King's Highway (de Sandwich à Orleans)

L'eau des plages longeant la Cape Cod Bay est habituellement plus froide que celle des plages situées sur le Nantucket Sound, plus prisées des familles pour cette raison. Les amateurs de surf pourront compter sur plusieurs plages donnant sur l'océan Atlantique.

Sandwich

Vous pouvez vous procurer un autocollant qui donne accès aux points d'eau de Sandwich au **Sandwich Town Hall** *(20$/saison; 130 Main St.* ☎*888-4910).*

Les plages de Sandwich bordent la Cape Cod Bay. La **Town Neck Beach** *(Town Neck Rd.)* repose à l'entrée de Sandwich Harbor. La populaire **Sandy Neck Beach** ★★ *(Rte. 6A, aux limites de Sandwich et Barnstable),* pourvue d'un sauveteur, étend ses dunes sur plusieurs kilomètres, jusqu'à West Barnstable, qui hérite d'une partie de la plage.

Yarmouth

Il en coûte 10$ pour garer sa voiture aux plages suivantes, toutes surveillées par un sauveteur.

La **Bass River Beach** *(South Shore Dr.),* populaire auprès des familles, est pourvue d'une aire de pique-nique. Ceux qui veulent voir de beaux couchers de soleil se rendent à Yarmouth Port, à la **Gray's Beach** *(à partir de la Rte. 6A, prenez Center St.).* À West Yarmouth, la **Sea Gull Beach** *(Rte. 28, puis South Sea Ave., tournez par Sea Gull Rd.)* est une des favorites en ville, surtout auprès de la gent estudiantine. Possibilité de surf.

Surfeur

Dennis

L'accès à chacune des plages coûte 10$, à moins que vous ne préfériez vous procurer le laissez-passer hebdomadaire au **Dennis Town Office** *(34$; Main St., S. Dennis, ☎394-8300)*.

Sur la Cape Cod Bay, vous trouverez la **Chaplin Beach** *(Chaplin Beach Rd.)*, qui n'a pas de sauveteur, la **Corporation Beach** *(Corporation Rd.)*, dont le bas niveau d'eau des bassins laissés par la marée en fait un endroit parfait pour les enfants en bas âge, et la **Mayflower Beach** *(Beach St.)*. Ces deux dernières sont pourvues de sauveteurs.

Sur le Nantucket Sound, l'une des plages les plus populaires du coin est la **West Dennis Beach** ★★ *(Lighthouse Rd.)*, qui possède un stationnement pouvant accueillir plus de 1 000 voitures... Dites-vous qu'en été ces espaces se remplissent rapidement. Plusieurs sauveteurs sont en poste.

Brewster

Vous pouvez vous procurer des permis de stationnement pour les plages de la ville au **Visitor Information Center** *(8$/jour, 25$/sem; Rte. 6A/Main St., ☎896-4511)*. Il n'y a pas de comptoirs de restauration sur les plages de Brewster, ni de sauveteurs à la **Paine's Creek Beach**, qui, grâce à son bas niveau d'eau, convient parfaitement aux jeunes enfants, de même que la **Breakwater Beach**, populaire auprès des familles. Toutes deux sont accessibles à partir de la Route 6A.

Orleans

Le stationnement vous coûtera 10$ par jour à la Nauset Beach *(☎240-3780)* ou à la Skaket Beach.

Sur l'Atlantique, la magnifique **Nauset Beach** ★★★ *(Beach Rd., East Orleans)* est parfaite pour le surf et les bains de soleil. Elle étend la majestuosité de son sable blanc sur plusieurs kilomètres et constitue l'une des plus belles plages de Cape Cod. Sur la Cape Cod Bay, les eaux plus calmes de la **Skaket Beach** ★★ *(Skaket Beach Rd.)* permettent même, à marée basse, la promenade. Elle est une des bonnes plages du cap pour les tout-petits.

L'Outer Cape (d'Eastham à Provincetown)

Eastham

Au CCNS, la **Coast Guard Beach** ★★★ *(angle Nauset et*

Doane Rd.) figure parmi les plus belles plages de Cape Cod, tandis que la **Nauset Light Beach** ★★ *(Ocean View Dr.)* la suit de près. Elles sont toutes deux idéales pour la baignade et, lorsque le temps le permet, le surf à la Nauset Light Beach est excellent.

Wellfleet

Il est à noter que seule la White Crest Beach reçoit les surfeurs avec planches et que le coût du stationnement à cette plage ainsi qu'à la Cahoon Hollow Beach est de 10$.

À la **Marconi Beach** ★★ *(US 6, suivez le fléchage)*, plage du CCNS, les conditions pour le surf sont excellentes, de même que pour la baignade.

En empruntant l'Ocean View Drive, vous ne manquerez aucune plage. La **White Crest Beach** ★ est déconseillée aux enfants et aux personnes ayant de la difficulté à se déplacer puisque la mer y est plus agitée, ce qui fera tout de même plaisir aux surfeurs.

La **Cahoon Hollow Beach** ★★ est le repaire favori des jeunes qui célèbrent la fin d'une journée de plage au bar du Beachcomber (voir p 188). *Bodysurfing*.

Truro

Le **Beach Commission Office** *(20$/sem., à l'arrière du Truro Post Office)* vous émettra l'autocollant qui permet d'accéder à toutes les plages de Truro, excepté celle du CCNS.

Une portion de la **Head of the Meadow Beach** ★★ est protégée par le CCNS et l'autre par la Ville de Truro. La présence de sauveteurs en fait une bonne option pour les familles. La **Corn Hill Beach** *(Corn Hill Rd.)*, sur les eaux calmes de la baie, est une autre favorite des familles.

Provincetown

La **Herring Cove Beach** ★★★ et la **Race Point Beach** ★★★ sont toutes deux sous la protection du CCNS, et pour cause : elles sont tout simplement magnifiques. Les eaux chaudes de Herring Cove et ses grandioses couchers de soleil en attireront plusieurs.

Les amateurs de soleil choisiront la Race Point Beach puisque, située sur la face nord, elle demeure ensoleillée toute la journée. Et l'on peut même y observer des baleines lorsqu'elles s'approchent des côtes.

Le sud du cap (de Chatham à Falmouth)

Chatham

Vous pouvez vous procurer l'autocollant qui vous permettra de garer votre voiture à l'une des sept plages qui l'exigent aux kiosques de la Hardings Beach, de la Cockle Cove Beach et de la Ridgevale Beach *(8$/jour, 35$/sem.)*.

Sur le Nantucket Sound, la **Cockle Cove Beach** ★ *(Cockle Cove Rd.)*, la **Hardings Beach** ★ *(Hardings Beach Rd.)* et la **Ridgevale Beach** ★ *(Ridgevale Rd.)* sont sous la surveillance de sauveteurs et la première constitue l'un des meilleurs choix pour les familles avec de jeunes enfants.

La magnifique et isolée **North Beach** ★★, accessible en bateau seulement, est en fait l'extrême sud de la Nauset Beach à Orleans. Les amateurs de grands espaces qui désirent fuir le bruit des foules seront ravis de se retrouver sur cette plage. La **South Beach** ★★★ borde elle aussi l'Atlantique et il faudra parcourir une certaine distance à pied pour rejoindre les coins les plus isolés de cette bande de sable.

Hyannis

Sur le Hyannis Harbor, la **Kalmus Beach** *(Ocean St.)* attire les amateurs de planche à voile. En plus d'avoir une aire réservée aux véliplanchistes, elle est sous la protection de sauveteurs. Les familles apprécieront les aires d'amusement et de pique-nique de la **Veterans Beach** ★ *(Ocean St.)*, située juste à côté du JFK Memorial. L'**Orrin Keyes Beach** ★★ *(Sea St.)* est très agréable.

Falmouth

Pour obtenir l'autocollant qui vous permettra de garer votre voiture à la plage, vous devez fournir la preuve qu'une partie de votre séjour se déroule à Falmouth. Adressez-vous au **Falmouth Town Hall** *(10$; ☎548-8623)*. À la Surf Drive Beach ainsi qu'à l'Old Silver Beach, vous pouvez acheter un laissez-passer sur place *(10$)*.

Les eaux chaudes de la **Falmouth Heights Beach** *(Worcester Ct., puis Grand Ave.)*, qui donne sur le Vineyard Sound, sont surveillées par un sauveteur.

Une seule plage est à distance de marche de Falmouth Village, soit la **Surf Drive Beach** ★ *(Surf Dr.)*, une étroite bande de sable en croissant qui donne sur le Vineyard Sound. Les eaux sont calmes et la plage, dotée d'un sauveteur, est populaire auprès des familles avec de jeunes enfants.

À la populaire **Old Silver Beach** ★★ (*Quaker Rd., N. Falmouth*), les couchers de soleil sont phénoménaux. Il est à noter que les stationnements disponibles se remplissent extrêmement vite. Les eaux chaudes de la Buzzards Bay attirent les plus jeunes. Sauveteur sur place.

Martha's Vineyard

Oak Bluffs

À la recherche d'une plage dans la région d'Oak Bluffs? L'**Eastville Beach** se trouve près du pont qui relie Oak Bluffs à Martha's Vineyard, tandis que l'**Oak Bluffs Town Beach**, aux eaux passablement calmes et peu profondes, débute au quai de la Steamship Authority et prend fin à la première jetée en direction d'Edgartown.

Quant à la magnifique **Joseph Sylvia State Beach** ★★, elle s'étire sur près de 4 km entre Oak Bluffs et Edgartown le

Cormoran

long de Beach Road, et sa vaste étendue de sable chaud se prête on ne peut mieux à la détente. À la hauteur d'Edgartown, elle porte le nom de Bend-in-the-Road Beach.

Chappaquiddick Island

Chappy accueille aussi l'**East Beach** ★★, une des plus belles de l'île, et sans contredit la plus paisible. Parmi les autres plages publiques d'Edgartown, retenez la **Fuller Street Beach** (*au bout de Fuller St.*) et la **Lighthouse Beach** (*en marge de N. Water St.*), toutes deux voisines du centre-ville.

La **Katama Beach** ★★ (*au bout de Katama Rd.*) se trouve à l'extérieur de la ville, mais vaut largement le déplacement. Elle s'étire en effet sur près de 5 km, fait face au sud et au large, et s'avère dès lors prisée des surfeurs.

Le haut de l'île

Tout près du port de Menemsha s'étend la **Menemsha Beach**, dont les vagues venant du nord sont douces. L'eau en est par ailleurs claire et limpide, et les couchers de soleil y sont splendides.

De la **Moshup Beach** ★★ *(stationnement 15$)*, qui gît au pied du poste d'observation, les falaises sont réellement magnifiques. Cette plage s'avère très fréquentée, et pour cause, puisque les vagues sont stimulantes et la vue à faire rêver. On insiste fortement pour que les visiteurs gardent leur maillot; que les nudistes se le tiennent pour dit.

Non loin d'Aquinnah se trouve la **Lobsterville Beach** ★ *(Lobsterville Rd.)*, qui offre 3 km de sable et de dunes face au Vineyard Sound. Cette plage est accessible à tous, mais le stationnement est strictement interdit sur Lobsterville Road.

Nantucket

Le littoral sinueux de Nantucket recèle un grand nombre de plages publiques où passer les chaudes journées d'été. À Nantucket même, on en dénombre trois : la **Francis Street Beach**, la **Children's Beach** et la **Brant Point Beach** ★. La Francis Street Beach se trouve à seulement 5 min de marche de Main Street et convient bien à la baignade avec ses eaux portuaires plutôt calmes, si ce n'est qu'elle est relativement petite. La Children's Beach n'est pas vraiment grande non plus, mais elle se trouve à courte distance de marche de la ville. Quant à la Brant Point Beach, elle est surtout recommandée pour le point de vue qu'elle offre au pied du **Brant Point Lighthouse** (phare); les courants y sont en effet un peu plus marqués.

À l'ouest de Nantucket Town s'étend la **Jetties Beach** ★, qui fera le bonheur des familles. À moins de 5 km à l'ouest de la ville par Eel Point Road, c'est la **Dionis Beach**, une plage protégée par des dunes et dont les eaux calmes invitent à la baignade. À 9 km à l'ouest de Nantucket sur Madaket Road, surgit la **Madaket Beach** ★★, soit le meilleur endroit sur l'île pour observer les couchers de soleil, sans compter que le chemin pour s'y rendre est en lui-même adorable; de plus, comme cette plage fait face au sud et au large, les vagues sont plutôt fortes.

Trois autres plages font face à l'océan Atlantique du côté sud de Nantucket : la **Cisco Beach** *(6 km au sud de la ville par Hummock Pond Rd.)*, la **Miacomet Beach** *(au bout de Miacomet Rd.)* et la **Surfside Beach** ★ *(4,5 km au sud de la ville, au bout de Surfside Rd.)*. Dans les trois cas, les vagues peuvent s'avérer très fortes, tout comme à la **Siasconset Beach**, qui se trouve tout près du village de 'Sconset.

Activités de plein air

Pour la baignade, la planche à voile et le surf, voir aussi la section «Plages» ci-dessus.

Surf et planche à voile

Les boutiques suivantes louent de l'équipement pour faire de la planche à voile et le personnel pourra vous conseiller sur les meilleurs endroits où surfer.

Cape Cod

Falmouth

Cape Cod Sail & Surf
239 Central Ave.
Falmouth
☎548-5110

Hyannis

Sound Sailboarding
223 Barnstable Rd.
Hyannis
☎771-3388

Chatham

Monomoy Sail and Cycle
275 Orleans Rd./Rte. 28
North Chatham
☎945-0811

Martha's Vineyard

Wind's Up *(199 Beach Rd., Vineyard Haven, ☎693-4252)* est à même de vous fournir renseignements, équipement *(16$/jour planche de surf, 65$/jour planche à voile)* et leçons. Les vagues sont à leur meilleur près des plages du sud de l'île, notamment la **Katama Beach** *(au bout de Katama Rd.)* et l'excellente **Moshup Beach** *(stationnement 15$; au pied des falaises d'Aquinnah)*.

Nantucket

Force Five Jetties *(N. Beach St., ☎228-5358)* est une des entreprises de location de Nantucket. Les meilleurs endroits pour pratiquer ce sport sont les plages du sud de l'île, car elles font face à l'Atlantique, de sorte que le vent et les vagues y sont plus stimulants.

Voiliers

Croisières et nautisme

Cape Cod

Provincetown

Flyer's Boat Rental
131 A Commercial St.
☎487-0898 ou 800-750-0898
www.sailnortheast.com/flyers/
Que ce soit le voilier ou le canot, vous trouverez certainement chez Flyer's Boat Rental l'embarcation qui vous convient pour vos expéditions.

Wellfleet

Massachusetts Audubon Society Wellfleet Bay Wildlife Sanctuary
US 6,
South Wellfleet
☎349-2615
www.wellfleetbay.org
La Massachusetts Audubon Society Wellfleet Bay Wildlife Sanctuary organise des sorties en canot accompagnées d'un guide-naturaliste sur différentes étendues d'eau de Cape Cod, dont le Nauset Marsh, sur le territoire du CCNS.

Chatham

Cape Cod Museum of Natural History
869 Rte. 6A, Brewster
☎896-3867
www.ccmnh.org

Le Cape Cod Mus... Natural History, bi... basé en dehors de ... tham, propose diff... croisières fort éducatives dans les eaux de Chatham, bien souvent conduites par des naturalistes. Croisière et visite du Monomoy National Wildlife Refuge, exploration de South Beach et de North Monomoy, ou encore excursion d'observation des phoques à bord d'un petit bateau, le tout hautement recommandé.

Massachusetts Audubon Society Wellfleet Bay Wildlife Sanctuary
US 6
South Wellfleet
☎349-2615
www.wellfleetbay.org
La Massachusetts Audubon Society Wellfleet Bay Wildlife Sanctuary organise le même type d'activité que le Cape Cod Museum of Natural History, également fortement recommandé.

Les entreprises suivantes proposent des excursions similaires, qui varient entre l'excursion d'observation des phoques (demandez la *seal cruise*), la navette entre les plages et des variantes de croisières accompagnées de naturalistes au Monomoy National Wildlife Refuge.

Beachcomber
☎945-5265
www.sealwatch.com

Plein air

Chatham Water Tours
☎*432-5895*
www.chathamwatertours.net

Monomoy Island Ferry
☎*945-5450*
www.monomoyislandferry.com

Outermost Harbor Marine
☎*945-2030*
www.outermostharbor.com

Hyannis

Hy-Lines Cruises
10$
Ocean St. Dock
☎*778-2600*
www.hy-linecruises.com
Hy-Lines Cruises propose des croisières sur le Hyannis Harbor qui ne manquent pas de passer devant le Kennedy Compound et les autres points d'intérêt. Des croisières de soir sont également organisées, avec groupes et beaucoup de plaisir!

Catboat Rides
20$
tlj, six départs
Ocean St.
☎*775-0222*
www.catboat.com
Catboat Rides propose également une promenade qui souligne les beautés du Hyannis Harbor.

Seafari Adventure
Ocean St. Docks
☎*775-1730 ou 896-2480*
www.hotlink.to/tigershark
Le Seafari Adventure constitue une excursion qui plaira aux tout-petits. Menée par le capitaine et naturaliste Mike Orbe, elle entraîne ses hôtes sur le *Tiger Shark* à la découverte du monde marin.

Falmouth

Patriot Boats
12$
tlj, juil départ à 18h30, août départ à 18h
Town Marina, 180 Scranton Ave.
☎*548-2626 ou 800-734-0088*
Patriot Boats est la référence à Falmouth en matière de croisière. Ils proposent, au coucher du soleil, une Lighthouse Sunset Cruise d'une durée de trois heures.

Woods Hole

Ocean Quest
19$
lun-ven, 10h, midi, 14h
Waterfront Park
☎*800-37-OCEAN*
www.capecod.net/oceanquest
Pour une expérience plus éducative, Ocean Quest propose une aventure unique de 90 min qui permet de se familiariser avec le monde sous-marin et les secrets enfouis au fond de l'océan.

Martha's Vineyard

Beaucoup des voiliers et des catamarans amarrés aux quais de la ville proposent des excursions aux visiteurs. Il est nécessaire de réserver dans la plupart des cas.

John Henry Ankers
40$
port d'Edgartown
Edgartown
☎627-8674

Mad Max
45$
25 Dock St.
Edgartown
☎627-7500

Vela
55$
Memorial Wharf
Edgartown
☎627-1963

Nantucket

Il vous suffira d'arpenter les quais de Nantucket pour découvrir mille et une occasions d'excursion en mer. Deux sociétés offrant des sorties en voilier de 1 heure 30 min sur le Nantucket Sound sont :

The Christina
20$
croisière coucher de soleil 30$
Slip 1019, Straight Wharf
☎325-4000

The Endeavor
22$
croisière coucher de soleil 30$
Slip 1015, Straight Wharf
☎228-5585

Équitation

Des centres équestres proposent des cours ou des promenades. Quelques-uns d'entre eux organisent même des excursions de plus d'une journée.

Cape Cod

Provincetown

Nelson's
43 Race Point Rd.
☎487-1112
Nelson's organise des visites guidées d'une durée d'une heure qui permettent aux excursionnistes de profiter des beautés des dunes. La balade au coucher du soleil réserve de magnifiques paysages.

Golf

Cape Cod

Cape Cod est réputée pour la qualité de ses terrains de golf. La presqu'île en compte plus d'une vingtaine, qui feront le bonheur des amateurs de ce sport que l'an-

Plein air

cien résidant John F. Kennedy adorait pratiquer à Hyannis.

Yarmouth

Bass River Golf Course
62 Highbank Rd.
South Yarmouth
☎*398-9079*
18 trous

Voiturette de golf

Bayberry Hills Golf Course
735 West Yarmouth Rd.
W. Yarmouth
☎*394-5597*
18 trous

Dennis

Dennis Highlands Golf Course
825 Old Bass River Rd.
☎*385-8347*
18 trous

Dennis Pines Golf Course
1045 Rte. 134
☎*385-8347*
18 trous

Brewster

Cape Cod National Golf Club
174 S. Orleans Rd.
☎*240-6800*

Ocean Edge Resort & Golf Club
Rte. 6A
☎*896-9000*
18 trous

The Captains
1000 Freeman's Way
☎*896-1716*
18 trous

Wellfleet

Chequessett Country Club
Chequesset Neck Rd.
☎*349-3724*
9 trous

Hyannis

Hyannis Golf Club
Rte. 132
☎*362-2606*
18 trous

Falmouth

Ballymeade Country Club
125 Falmouth Woods Rd., près Rte. 151, North Falmouth
☎*540-4005*
18 trous

Cape Cod Country Golf
48 Theater Dr.
North Falmouth
☎*563-9842*
18 trous

Falmouth Country Club
630 Carriage Shop Rd.
East Falmouth
☎*548-3211*
18 trous

Martha's Vineyard

Mink Meadows Golf Course
Golf Club Rd., off Franklin St.
Vineyard Haven
☎*693-0600*

Nantucket

Miacomet Golf Club
West Miacomet Rd.
☎*228-9764*

Kayak

Le kayak n'est pas un sport nouveau, mais sa popularité va croissant. De plus en plus de gens découvrent cette activité merveilleuse qui permet de sillonner un cours d'eau dans une embarcation sécuritaire et confortable à un rythme qui convient pour apprécier la nature environnante.

En fait, installé dans un kayak, on a l'impression d'être littéralement assis sur l'eau et de faire partie de cette nature. Une expérience aussi dépaysante que fascinante! Il existe trois types de kayaks dont le galbe varie : le kayak de lac, le

kayak de rivière et le kayak de mer. Ce dernier, qui peut loger une ou deux personnes selon le modèle, est le plus populaire car plus facilement manœuvrable. Plusieurs entreprises offrent la location de kayaks et organisent des expéditions guidées sur les côtes du cap.

Cape Cod

Provincetown

Off the Coast
Whaler's Wharf, Commercial St.
☎*487-2692 ou 877-PT-KAYAK*
www.offthecoastkayak.com
Cette entreprise fait la location de kayaks *(25$/4 hres, 40$/jour)* et des excursions guidées fort intéressantes *(entre 40$ et 60$/pers)* sur les eaux bordant Provincetown, Truro et Wellfleet.

Race Point Aquatic Expeditions
16 MacMillan Wharf
☎*487-3706*
Race Point Aquatic Expeditions loue des kayaks *(doubles : 40$/4 hres, 65$/jour)*.

Falmouth

Pour la location de kayaks, adressez-vous à **Cape Cod Kayak** *(Cummaquid Rd., N. Falmouth, ☎540-9377)* ou à **Waquoit Kayak Co.** *(Edward's Boatyard, E. Falmouth, ☎548-2216, www.waquoitkayak.com)*.

Kayak

Martha's Vineyard

Le littoral fascinant de l'île est aussi bordé, vers l'intérieur, par de nombreux étangs qui ne demandent qu'à être explorés. Renseignements, service de location et visites guidées sont offerts par :

Wind's Up
199 Beach Rd.
Vineyard Haven
☎693-4252

Kasoon Kayak Company
☎627-2553

Nantucket

Nantucket propose bon nombre de circuits intéressants aux kayakistes, depuis le port de la ville jusqu'au Hummock Pond. Beaucoup d'entreprises du port et de ses abords offrent visites et service de location. Essayez la **Nantucket Kayak Company** *(kayaks de mer 15$/heure, 40$/jour; Commercial Wharf,* ☎*325-6900).*

Observation de baleines

Cape Cod

Provincetown

Provincetown est, de loin, le meilleur endroit à Cape Cod pour observer les baleines, une expérience unique et excitante. Trois entreprises proposent des excursions, mais nous vous suggérons fortement de faire affaire avec la compagnie Dolphin Fleet, puisqu'elle est associée avec le Center for Coastal Studies de Provincetown et que les naturalistes du centre font équipe exclusivement avec elle.

Dolphin Fleet
MacMillan Wharf
☎*800-826-9300*
www.whalewatch.com

Cape Cod Whale Watch
MacMillan Wharf
☎*487-4079 ou 877-487-4079*

Portuguese Princess
billets :
309 Commercial St.
☎*487-2651 ou 800-442-3188*
www.princesswhalewatch.com

Observation d'oiseaux

Cape Cod

Le **Salt Pond Visitor Center**, à Eastham, le **Massachusetts Audubon Society Wellfleet Bay Wildlife** à South Wellfleet ainsi que le **Province Lands Visitor Center** à Province-town constituent de bonnes sources de renseignements sur la faune ailée de Cape Cod.

L'**Ashumet Holly and Wildlife Sanctuary** à Falmouth, le **Monomoy National Wildlife Refuge** à Chatham, les marais de **Fort Hill** à Eastham, le **Massachusetts Audubon Society Wellfleet Bay Wildlife** à Wellfleet et les différents habitats du **Cape Cod National Seashore** (de la Nauset Beach aux Province Lands, à Provincetown) sont pro-

bablement les meilleurs endroits de Cape Cod pour l'observation des oiseaux.

Brewster

Le **Nickerson State Park** abrite une belle faune forestière et lacustre comme des canards, des hérons bleus et des bernaches.

Eastham

Qu'importe le sentier que vous emprunterez à Eastham, vous aurez de belles surprises. Les marais d'eau salée, les étangs, les baies et le rivage sont autant d'habitats qui reçoivent la visite d'espèces terrestres ou marines. Le **Fort Hill Trail** et le **Nauset Marsh Trail** sont particulièrement recommandés. Référez-vous à la rubrique «Randonnée pédestre» (voir p 129) pour la description des sentiers.

Wellfleet

Le **Massachusetts Audubon Society Wellfleet Bay Wildlife Sanctuary** *(US 6, South Wellfleet, ☎349-2615, www.wellfleetbay.org)* propose, au coût de 5$, de fort intéressantes promenades ornithologiques *(bird walks)* qui permettent aux intéressés d'observer plusieurs espèces terrestres et marines. Les habitats variés du sanctuaire favorisent la diversité

Pour les amateurs d'oiseaux

Les amateurs d'observation d'oiseaux seront ravis de savoir que le Cape Cod Museum of Natural History (CCMNH) a formé un club d'observateurs d'oiseaux. Le club publie une liste des oiseaux de Cape Cod, disponible dans plusieurs librairies de la région et dans certains parcs. Pour de plus amples renseignements, veuillez vous adresser au :

Cape Cod Bird Club
c/o Cape Cod Museum of Natural History
P. O. Box 1710
Brewster, MA 02631
www.ccmnh.org

des espèces qui s'y retrouvent.

Une foule d'excursions est proposée par cette société : des visites à thèmes sur un oiseau en particulier, des excursions à des endroits précis du cap et même des voyages d'observation des oiseaux à l'étranger.

Vous pouvez également emprunter l'un des sentiers

Grand héron

du sanctuaire, jumelles à la main, et découvrir vous-même les espèces qui s'y cachent.

Provincetown

Les sentiers des **Province Lands** parcourent différents habitats où il vous sera possible d'observer la faune ailée.

Chatham

Si l'un des buts de votre visite à Cape Cod est l'observation des oiseaux, ne repartez pas sans faire halte au **Monomoy Island National Wildlife Refuge**. Presque chacune des espèces recensées, marines ou migratoires en Nouvelle-Angleterre, y a été observée. Pour des visites guidées ou une excursion en bateau, voir la rubrique «Croisières et nautisme» plus haut.

Falmouth

Avec plus de 130 espèces recensées, l'**Ashumet Holly Reservation** est une bonne option pour les ornithophiles.

Martha's Vineyard

Le meilleur endroit sur Martha's Vineyard pour observer de plus près la faune ailée de l'île est sans doute le **Felix Neck Wildlife Sanctuary** *(3$; Edgartown-Vineyard Haven Rd.,* ☎*627-4850)*. S'y trouvent en effet un couple d'orfraies nicheuses et un étang de marée où l'on a déjà recensé 23 espèces différentes d'oiseaux aquatiques.

Nantucket

L'observation des oiseaux est un passe-temps populaire sur Nantucket, dont plus de 40% des terres sont protégées. Les mois d'automne sont, à ce titre, particulièrement prisés, car la région accueille à cette épo-que de l'année les représentants de différentes espèces menacées d'extinction, comme l'aigle, des oiseaux chanteurs, des fauvettes et une variété d'oiseaux de rivage. De même, en décembre, les ornithologues amateurs s'assemblent sur l'île pour le recensement annuel des oiseaux migrateurs sous les auspices de la société Audubon.

Pêche

Cape Cod

Provincetown

Cee Jay
20$ demi-journée
MacMillan Wharf
☎*487-4330 ou 800-675-6724*
www.ceejayfishing.com
Depuis trois générations, Cee Jay fait le bonheur des adeptes de pêche en mer.

Hyannis

Hy-Line Cruises
22$ demi-journée
40$ journée complète
Ocean St. Dock
☎*790-0696*
Hy-Ligne Cruises propose des excursions de pêche bien encadrées sur les eaux du Nantucket Sound, précédées d'une croisière de 45 min.

Plein air

Falmouth

Patriot Boats
20$ demi-journée
35$ journée complète
tlj départs à 8h et 13h
Town Marina, 180 Scranton Ave.
☎*548-2626 ou 800-734-0088*
Si vous avez une envie soudaine d'excursion de pêche, Patriot Boats vous en offre une d'une durée de trois heures, où vous serez accompagné par des professionnels du métier.

Martha's Vineyard

Les habitués de la pêche dans la région affirment que c'est en automne qu'on fait les meilleures prises, lorsqu'a cessé le va-et-vient des vacanciers, que leurs bruyants bateaux s'en sont allés et que les poissons s'apprêtent à migrer. Pendant un mois, aux environs de septembre ou octobre, le **Vineyard Striped Bass and Bluefish Derby** attire quelque 3 000 concurrents de l'île et du monde entier.

De la terre ferme, les plages de sable blanc de Chilmark et d'Aquinnah sont aussi très propices à la pratique de ce sport. Vous trouverez entre autres leurres et attirails au **Larry's Tackle Shop** *(258 Upper Main St., Edgartown,* ☎*627-5088)* et chez **Dick's Bait and Tackle** *(New York Ave., Oak Bluffs,* ☎*693-7669).*

Dans chacune des localités de l'île, vous trouverez en outre de nombreuses entreprises offrant des excursions de pêche en mer, parmi lesquelles :

Skipper
30$
Slip 74
Oak Bluffs
☎*693-1238*
www.mvy.com/skipper

Banjo
400$/demi-journée
100$/pers. en affrètement partagé
Slip 73
Oak Bluffs
☎*693-3154*

Big Eye Charters
400$/demi-journée
Edgartown
☎*627-0522*
www.bigeyecharters.com

Nantucket

À Nantucket, vous pouvez prendre la mer dans le cadre d'une coûteuse excursion de pêche à bord d'un bateau affrété, ou opter pour un des nombreux étangs d'eau douce de l'île. Si vous retenez la première formule, sachez que beaucoup de bateaux partent du quai principal, entre autres ceux de **Topspin Charter Fishing** *(Slip 10, Straight Wharf,* ☎*228-7724).* Pour louer l'équipement voulu, adressez-vous plutôt à **Barry**

Thurston Fishing Tackle *(à la marina,* ☎228-9595).

![Randonnée pédestre icon]

Randonnée pédestre

Activité à la portée de tous, la randonnée pédestre se pratique en maint endroit sur Cape Cod et les îles. Plusieurs sentiers aux longueurs et niveaux de difficulté divers sillonnent des paysages époustoufflants.

Cape Cod

Brewster

Le Cape Cod Museum of Natural History (CCMNH) est le point de départ de quelques sentiers qui traversent une grande variété d'habitats. Le petit **North Trail** (0,4 km) convient parfaitement aux enfants en bas âge. Le CCMNH organise des visites commentées sur le **Wing Island Trail** (2,9 km), mais il est également possible de l'emprunter de façon autonome.

Le **Nickerson State Park** permet également de faire de belles randonnées dans la forêt ou autour de ses lacs.

La marée basse perm d'explorer les **Brewst** cette bande qui long Cape Cod Bay sur près de 1,6 km. Les petits bassins formés par la marée descendante abritent plusieurs organismes marins et le paysage est idyllique.

Eastham

La Fort Hill Area (voir p 74) est le point de départ de deux sentiers : le **Fort Hill Trail**, qui s'étend sur 2,5 km, permet d'explorer le spectaculaire Nauset Marsh. Accessible à partir du Fort Hill Trail, le **Red Maple Swamp Trail** (0,8 km) permet aux personnes à mobilité réduite de profiter du paysage grâce aux promenades aménagées sur certaines sections.

Deux sentiers ont leur point de départ à côté de l'amphithéâtre du Salt Pond Visitor Visitor Center, le centre d'interprétation du Cape Cod National Seashore. L'exceptionnel **Buttonbush Trail** a été spécialement conçu pour les aveugles et malvoyants. Le parcours de 0,5 km est facile, doté d'une corde pour guider les randonneurs et de panneaux d'interprétation en braille.

Plein air

Le **Nauset Marsh Trail** est un magnifique parcours facile qui s'étend sur 1,5 km entre le Salt Pond et le Nauset Marsh, en passant par des champs et une forêt. Vue spectaculaire sur le Nauset Marsh.

Wellfleet

L'Atlantic White Cedar Swamp

L'**Atlantic White Cedar Swamp** *(Marconi Station Area, South Wellfleet; suivez les indications vers la Marconi Station et le White Cedar Swamp)* est un sentier de 2 km incontournable. De difficulté moyenne, il compte quelques marches à pic et une petite étendue sable. Traversant principalement une forêt de chênes et de pins, il est tout simplement magnifique.

Le **Great Island Trail** *(du centre de Wellfleet, prenez East Commercial St. et suivez les indications vers le Wellfleet Harbor; prenez Chequesset Neck Rd. jusqu'au stationnement de Great Island)* est le sentier le plus difficile du CCNS. La randonnée s'effectue en majeure partie sur le sable et des sections disparaissent à marée haute. Les 4,8 km conduisent au Jeremy Point Overlook et offrent quelques points de vue spectaculaires. Il est recommandé de faire une bonne provision d'eau avant le départ.

Truro

Deux sentiers débutent aux Pilgrim Heights *(suivez les indications à partir de la US 6)* : le **Small's Swamp Trail** (1,2 km) ainsi que le **Pilgrim Spring Trail** (1,2 km), qui conduit au lieu où les Pères pèlerins burent leur première gorgée d'eau fraîche au Nouveau Monde.

Provincetown

Le **Beech Forest Trail** *(accès à partir de Race Point Rd.)* plonge les randonneurs dans l'univers magique des dunes et d'une forêt de hêtres, de pins et de chênes. Les 1,6 km, principalement ensablés, sillonnent un environnement magnifique.

Falmouth

L'**Ashumet Holly Reservation** (voir p 92) compte de bons sentiers et permet d'entreprendre des randonnées, guidées ou non. Pour ceux qui ne désirent pas s'éloigner de la ville, les **Beebe Woods** abritent de beaux sentiers aménagés pour la randonnée.

Martha's Vineyard

De multiples sentiers sillonnent les nombreuses réserves fauniques et zones protégées de l'île. Le **Polly Hill Arboretum** *(5$; West Tis-*

bury, ☎693-9426), notamment, qui repose sur une propriété de 24 ha, présente une collection de plantes exceptionnelle et se voit parcouru par plusieurs sentiers.

Le **Felix Neck Wildlife Sanctuary** *(3$; Edgartown-Vineyard Haven Rd., ☎627-4850)* occupe une péninsule de 120 ha qui s'étend jusqu'au Sengekontacket Pond, et des sentiers parcourent ses différents habitats. Gardez l'œil ouvert car vous pourriez apercevoir des loutres, des rats musqué, des orfraies et des cerfs. La **Manuel F. Cornellus State Forest**, d'une superficie de 1 800 ha, occupe pour sa part une très grande partie du centre de l'île, et se voit sillonnée par de nombreux sentiers.

L'île Chappaquiddick s'explore on ne peut mieux à pied avec son **Cape Poque Wildlife Refuge** de 200 ha et sa **Wasque Reservation** de 80 ha. Dans le haut de l'île, le **Cedar Tree Neck Sanctuary** *(Indian Hill Rd., West Tisbury, ☎693-5207)* recèle quant à lui quelques sentiers à travers marais et forêts.

Nantucket

Les fervents de la marche aimeront arpenter les landes et les prairies de Nantucket. Il y a cependant des règles à observer, dans la mesure où une grande partie des terres sont rigoureusement protégées, plusieurs des habitats qu'on y trouve étant rares, non seulement dans la région, mais aussi dans le reste du monde. La **Nantucket Conservation Foundation** *(118 Cliff Rd., ☎228-2882)* possède une mine de renseignements à ce sujet, et met à votre disposition des cartes des terres qu'elle protège.

The Moors *(par Polpis Rd.)* présentent les sentiers pédestres les plus intéressants. Leurs landes uniques et leurs tourbières à canneberges se laissent merveilleusement admirer du haut de l'**Altar Rock**, soit le point le plus élevé de l'île. Le **Sanford Farm-Ram Pasture** *(par Madaket Rd.)* offre aussi un spectacle agréable, 2,5 km de sentier parcourant ici une ancienne ferme de 350 ha.

Vélo

Le vélo se révèle être un moyen des plus agréables pour découvrir la région de Cape Cod.

Cape Cod

Le **Cape Cod Rail Trail** est une piste pavée qui s'étend sur

...outh Dennis à
...e point de dé-
...th Dennis, se
...elques minutes de
...a la sortie 9, sur la
Route 34. La piste se termine à Wellfleet sur la Le-
count Hollow Road.

Cette piste cyclable suit les
rails disparus de la Penn
Central Railways qui transportaient marchandises et
passagers sur Cape Cod
entre le début des années
1800 et 1960. Le Cape Cod
Rail Trail, qui fait non seulement le bonheur des cy-
clistes mais également des
piétons, est aujourd'hui
sous la protection du Massachusetts Department of
Environmental Manage-
ment.

Voici quelques adresses de
marchands de vélos pour la
location ou la réparation.

Sandwich

Sandwich Cycles
40 Rte. 6A
☎*833-BIKE ou 833-2453*

Dennis

The Bike Depot
Depot St.
☎*430-4375*

Brewster

Une piste cyclable de
12,9 km traverse le magnifique Nickerson State Park

pour aller rejoindre le Cape
Cod Rail Trail.

Cape Cod Rail Trail Bike Rentals
302 Underpass Rd.
☎*896-8200*

Orleans

Orleans Cycle
26 Main St.
☎*255-9115*

Eastham

Le Cape Cod Rail Trail traverse bel et bien Eastham,
mais il y a d'autres voies
cyclables dans les environs.
Le **Nauset Bike Trail**, sous la
responsabilité du Cape Cod
National Seashore, relie le
Salt Pond Visitor Center à la
Coast Guard Beach : 4 km
de paysages magnifiques.

The Little Capistrano Bike Shop
341 Salt Pond Rd.
☎*255-6515*

Wellfleet

Black Duck Sports Shop
US 6, South Wellfleet
☎*349-9801*

Provincetown

Le territoire de Provincetown est propice à la pratique du vélo. Vous pouvez
entre autres facilement entreprendre à vélo le circuit
de visite proposé dans le
chapitre «Attraits touristiques» (voir p 77).

Cependant, le **Cape Cod National Seashore Province Lands Bike Path** (*accessible, entre autres, depuis le Province Lands Visitor Center*) constitue l'un des plus beaux parcours cyclables de la presqu'île. Ses 8 km serpentent entre dunes et forêts et permettent de découvrir en profondeur les richesses des Province Lands.

Arnold's
329 Commercial St.
☎*487-0844*

Ptown Bikes
42 Bradford St.
☎*487-8735*

Chatham

Il est non seulement facile de se déplacer en vélo à Chatham mais également très agréable. Le circuit de visite proposé dans le chapitre «Attraits touristiques» (voir p 84) est idéal pour les amateurs de vélo.

Bikes & Blades
195 Crowell Rd.
Chatham
☎*945-7600*

Monomoy Sail & Cycle
275 Orleans Rd./Rte. 28
North Chatham
☎*945-0811*
www.gis.net/~monomoy

Hyannis

One World Bike Rental
631 Main St.

☎*771-4242*

Falmouth

Les amateurs de vélo seront ravis de découvrir la piste cyclable revêtue de 6,2 km, le Shining Sea Bike Path, qui relie Falmouth et Woods Hole. À l'ouest, la piste traverse Quisett, Sippewissett, West Falmouth, Old Silver Beach et North Falmouth. À l'est, elle s'étend de Falmouth Beach à Menauhant Beach et Central Avenue. Des espaces de stationnement sont disponibles à l'entrée du parcours, sur Locust Street, à Falmouth.

Corner Cycle
115 Palmer Ave., Falmouth
☎*540-4195*

Holiday Cycles
465 Grand Ave., Falmouth Heights
☎*540-3549*

Martha's Vineyard

Le vélo constitue un moyen de transport très populaire sur Martha's Vineyard, d'autant plus qu'on encourage les visiteurs à laisser leur voiture sur le continent. Nombre de voies revêtues sillonnent l'île, quoiqu'elle soit plus grande que Nantucket, et donc un peu plus difficile à couvrir (à titre d'exemple, plus de 30 km séparent Vineyard Haven d'Aquinnah). Une randonnée panoramique très appréciée, et en terrain plat, s'effectue dans le bas de l'île, entre Vineyard Haven, Oak Bluffs et Edgartown; le tronçon de Seaview Avenue/Beach Road entre Oak Bluffs et Edgartown est à couper le souffle.

Vous n'aurez aucun mal à trouver une bicyclette de location pour environ 20$ par jour, entre autres aux adresses suivantes :

Cycle Works
351 State Rd.
Vineyard Haven
☎693-6966

Anderson's Bike Rental
Circuit Ave. Ext.
Oak Bluffs
☎693-9346

Edgartown Bicycles
190 Upper Main St.
Edgartown
☎627-9008

Nantucket

On dirait que Nantucket a été conçue pour les deux-roues; en effet, son relief est plat, ses paysages sont splendides et les voies cyclables y ont autant d'importance que les routes. Les cinq voies cyclables de l'île varient en longueur de 3,75 km à 12 km, et permettent d'atteindre les moindres recoins de Nantucket. Nous vous recommandons plus particulièrement le tracé qui relie Nantucket Town au point le plus à l'ouest de l'île, soit Madaket. On loue sur l'île des milliers de vélos *(20-25/jour)* par l'entremise d'un grand nombre d'entreprises, notamment :

Young's Bicycle Shop
Steamboat Wharf
☎228-1151
www.youngsbicycleshop.com

Nantucket Bike Shop
Steamboat Wharf et Straight Wharf
☎228-1999
www.nantucket.net/ trans/ nantucketbike

Raton laveur

Hébergement

Peu importe vos goûts ou votre budget, cet ouvrage saura sûrement vous aider à dénicher le type d'hébergement qui vous convient.

Rappelez-vous que les chambres peuvent devenir rares et les prix s'élever durant l'été. Les voyageurs qui désirent visiter la Nouvelle-Angleterre durant la belle saison devraient donc réserver à l'avance. Dans la mesure où vous souhaitez réserver, une carte de crédit s'avère indispensable car, dans plusieurs cas, on vous demandera de payer d'avance la première nuitée.

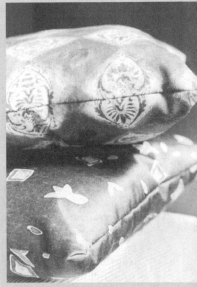

La formule des *bed and breakfasts* est aussi représentée partout au Massachusset. On retrouve souvent ces établissements aménagés dans de jolies maisons traditionnelles, harmonieusement décorées. Généralement, ils comptent moins de 12 chambres.

Par ailleurs, un peu à l'extérieur des villes, l'abondance de motels le long des autoroutes permet aux voyageurs de trouver des chambres au charme inexistant, mais à des prix très abordables.

Dans ce guide, les prix mentionnés pour les établissements s'appliquent à une chambre pour deux personnes en haute saison et devraient se lire comme suit :

**$**   moins de 50$
**$$**   de 51$ à 100$
**$$$**   de 101$ à 150$
**$$$$** 151$ et plus

Nous avons indiqué d'un petit symbole différents services offerts par chaque établissement. Il ne s'agit en aucun cas d'une liste exhaustive de ce que propose l'établissement, mais bien des services que nous considérons les plus importants. Attention, la présence d'un symbole ne signifie pas que toutes les chambres sont pourvues de ce service; vous devrez parfois débourser un supplément au prix indiqué pour obtenir par exemple un foyer ou une baignoire à remous. Par contre, si le petit symbole n'est pas apposé à un établissement, c'est probablement que l'établissement ne peut vous offrir ce service. Pour connaître la signification des symboles utilisés, référez-vous au ta-

bleau des symboles dans les premières pages du guide.

Le camping

À moins de se faire inviter, le camping constitue probablement le type d'hébergement le moins cher. Malheureusement, le climat ne rend possible cette activité que sur une courte période de l'année, soit de mai à sept, à moins de disposer de l'équipement approprié contre le froid. Les services offerts sur les terrains de camping peuvent varier considérablement. Certains sont publics et d'autres privés. Les prix mentionnés dans ce guide s'appliquent à un emplacement sans raccordements pour une tente. Ils varieront, il va sans dire, selon les services ajoutés.

Il n'est pas permis de camper sur Nantucket. Pour de plus amples renseignements sur les chambres offertes en location, consultez le site Web de la **Nantucket Lodging Association** à www.nantucketlodging.org.

L'Old King's Highway (de Sandwich à Orleans)

Sandwich

Peters Pond Park
$
&
mi-avr à mi-oct
Cotuit Rd.,
MA 02563
☎477-1775
Le Peters Pond Park dispose d'un magnifique terrain de camping, à 11 km de Sagamore Bridge. Le camping dispose de 439 emplacements, et l'on peut y pratiquer plusieurs activités sportives. Location de bateaux et sentiers de randonnée pédestre.

Après le centre de Sandwich, la Route 6A est bordée d'hôtels et de motels de différentes catégories. Ces établissements ont l'avantage d'être peu dispendieux mais, surtout, de pouvoir loger les familles avec enfants. Parmi eux, il y a le **Spring Garden Inn** *($$-$$$ pdj; ≡, ≈, ℝ, S; 578 Rte. 6A, MA 02537,* ☎888-0710 ou 800-303-1751, www.springgarden.com*)*, dont l'extérieur coquet en bardeaux de cèdre, avec les boîtes à fleurs, donne le ton à l'aménagement des chambres.

Un peu plus loin, le **Earl of Sandwich Motel** *($$-$$$ pdj; ≡, ≈, ℝ, S; 378 Rte. 6A, MA 02537,* ☎888-1415 ou 800-442-3275, www.earlofsandwich.com*)* est un drôle de spécimen aux chambres mi-antiques, mi-années 1970. Le terrain comprend un étang peuplé de canards.

Seth Pope House
$$$ pdj
≡, ⨂, S
110 Tupper Rd, MA 02563
☎888-5916 ou 888-996-7384
www.sethpope.com
La Seth Pope House a 300 ans et son charme n'a pas fini de faire des heureux. Ses trois chambres représentent trois époques différentes, soit l'époque victorienne, l'époque coloniale et le début du XXᵉ siècle. Intimité et tranquillité assurées, puisque la demeure est située en retrait du centre de la ville.

The Inn at Sandwich Center
$$$ pdj
≡, S
118 Tupper Rd., MA 02563
☎888-6958 ou 800-249-6949
⇌888-6958
www.innatsandwich.com
Situé au centre de la ville, l'élégant Inn at Sandwich Center rappelle la grandeur d'antan. Joe et Louise Trapp vous accueillent dans cette belle demeure coloniale et vous proposent des chambres fort douillettes qui baignent dans cette atmosphère historique.

Une nuit dans un phare

Si vous désirez tenter une expérience hors de l'ordinaire, réservez une nuitée dans un des deux phares de Cape Cod aménagés pour recevoir des visiteurs.

Au Monomoy National Wildlife Refuge, le Cape Cod Museum of Natural History propose des *overnight nature tours* au cours desquels les randonneurs passent la nuit dans la maison du gardien de l'historique **Monomoy Point Light**. Érigé en 1823 sur South Monomoy, le phare cessa ses activités en 1923, lorsque le rayon lumineux de la Chatham Light fut jugé suffisant pour la sécurité du territoire.

Cette excursion n'a cependant rien des vacances faciles. À l'arrivée sur South Monomoy, il faut faire 2,4 km à pied pour rejoindre le phare et la maison du gardien. La modeste demeure ne possède ni électricité ni eau courante, et, en guise de lit, les invités n'auront droit qu'à de simples matelas pneumatiques. Mais qu'importe, puisque cette expérience unique permet de revivre l'isolement des gardiens de ce phare et de partager les richesses naturelles du Monomoy National Wildlife Refuge. Les randonneurs, bien qu'accompagnés par un naturaliste, sont libres d'explorer l'île par eux-mêmes.

Pour de plus amples renseignements :
Cape Cod Museum of Natural History
869 Rte. 6A; P.O. Box 1710
Brewster, MA 02631
☎**896-3867**
www.ccmnh.org

À Provincetown, la New England Lighthouse Foundation, qui s'occupa de la restauration – et du sauvetage – de la **Race Point Light** et de la maison du gardien, en loue désormais les trois larges chambres, à la nuitée.

Les quelques chanceux qui réussiront à réserver une chambre jouiront de tout le confort moderne (eau chaude, électricité, cuisine et salon), en plus d'un paysage à couper le souffle où les couchers de soleil sont magnifiques. Pour information :

New England Lighthouse Foundation
☎*888-9784 ou 487-9930*
racepointlighthouse
@mediaone.net

Isaiah Jones Homestead
$$$-$$$$ pdj
⊗, ⊛, 𝔍, *S*
165 Main St., MA 02563
☎*888-9115 ou 800-526-1625*
www.isaiahjones.com

Grande maison blanche aux volets bleu pâle avec une touche de rose et une agréable galerie pourvue de meubles en osier, la Isaiah Jones Homestead promet un séjour tout confort. Le décor est de facture classique.

The Belfry Inne
$$$-$$$$ pdj
⊗, ⊛, 𝔑, *S*, ≡, 𝔍
8 Jarves St., MA 02563
☎*888-8550 ou 800-844-4542*
www.belfryinn.com

Véritables bijoux architecturaux, les deux bâtiments du Belfry Inne composent certainement l'une des auberges les plus originales de Cape Cod. La Drew House, demeure victorienne de 1882, porte en elle luxe et élégance, mais reste plus conservatrice que sa voisine, The Abbey. Les chambres de cette ancienne église portent le nom des

jours de la semaine et leur intérieur s'accorde avec l'ancienne vocation du bâtiment : plafonds cathédrale, vitraux et atmosphère solennelle, le tout accompagné de baignoires à remous et de balcons. Expérience unique à Sandwich, tout comme son restaurant (voir p 165).

The Dan'l Webster Inn
$$$$ pdj
⊛, ≡, 𝔍, 𝔑, *S*, ♿
149 Main St., MA 02563
☎*888-3622 ou 800-444-3566*
⇌*888-5156*
www.danlwebsterinn.com

L'hospitalité et le confort pratique et élégant des chambres du Dan'l Webster Inn sont remarquables. Bien situé, près des attraits de Sandwich, il se distingue par sa couleur rouge et sa taille imposante qui attireront votre attention. Que ce soit à l'une de ses excellentes salles à manger ou à la réception, l'accueil du personnel est exceptionnel.

and Lion Inn

A, MA 02630

823

2-0227

www.lambandlion.com

La sympathique Alice Pitcher vous accueillera à bras ouverts au havre de paix qu'est le Lamb and Lion Inn. Mi-hôtel, mi-*bed and breakfast*, il n'est pas une seule de ses chambres qui ait été négligée par les bons soins d'Alice. La cour intérieure, organisée autour d'une piscine et d'un bassin à remous, séduira les vacanciers en quête d'intimité. Le *inn* compte huit chambres et la *Barnstable*, une étable de 1740 entièrement restaurée, peut accueillir jusqu'à cinq invités. Inoubliable expérience.

Dennis

Isaiah Hall B&B Inn
$$-$$$ pdj
≡, *S*
152 Whig St.,
MA 02638
☎*385-9928 ou 800-736-0160*
⇄*385-5879*

L'atmosphère de campagne qui émane du Isaiah Hall B&B Inn en fait une retraite tranquille rêvée. Son élégance toute simple demeure chaleureuse et sa décora-

tion rappelle le bon goût de l'établissement. Hautement recommandé pour son excellent rapport qualité/prix.

The Lighthouse Inn
$$$ pdj
≈, ⊗, C, R, ℜ, *S*, ⚹
Lighhouse Rd.
West Dennis, MA 02670
☎*398-2244*
⇄*398-5658*

Véritable station balnéaire sans prétention, le Lighthouse Inn est un de ces favoris qui se transmettent de génération en génération. Les chambres du bâtiment principal, donnant sur le Nantucket Sound, sont un mélange de bon goût et de décoration un peu défraîchie, tandis que les cottages qui parsèment l'immense propriété sont agréables et pourvus de toutes les commodités propres à ce type d'hébergement. En été, programmes spéciaux destinés aux enfants.

Scargo Manor
$$$-$$$$ pdj
≡, *S*
909 Main St./Rte. 6A, MA 02638
☎*385-5534 ou 800-595-0034*
www.scargomanor.com

Le Scargo Manor est d'une élégance traditionnelle chaleureuse. On retrouve, dans ses chambres claires, de beaux tapis tressés et de grandes salles de bain. Le terrain de la vaste propriété s'étend jusqu'au lac Scargo.

Brewster

Nickerson State Park
$
🐾
3488 Rte. 6A, MA 02631
☎*896-4615 ou 877-422-6762*
Ceux qui voudront profiter du magnifique terrain de camping du Nickerson State Park devront s'y prendre un an à l'avance pour réserver. Tranquillité assurée; 420 emplacements entourés de la plus belle nature.

Shady Knoll Campground
$
🐾, ♿
mi-mai à mi-oct
1709 Rte. 6A, MA 02631
☎*896-3002*
Situé à proximité du Cape Cod Rail Trail et à 1,6 km de la plage, ce camping dispose de 100 emplacements ombragés pour tentes et véhicules récréatifs. Les feux de camp sont permis et le terrain est fort agréable.

Old Sea Pines Inn
$$-$$$ pdj
bc/bp, S, ♿
Main St./Rte. 6A, MA 02631
☎*896-6114*
⇄*896-7387*
www.oldseapinesinn.com
Le Old Sea Pines Inn combine le confort d'hier et d'aujourd'hui. Ses trois bâtiments proposent le meilleur des deux mondes dans une atmosphère chaleureuse sans prétention. Le

salon et la salle où est servi le petit déjeuner sont des espaces agréables où relaxer. Excellent rapport qualité/prix.

Candleberry Inn
$$-$$$$ pdj
❀, ℜ, *S*
1882 Main St./Rte. 6A, MA 02631
☎*896-3300 ou 800-573-4769*
Gini et David Donnelly vous ouvrent les portes de leur ancienne demeure de capitaine convertie en *inn* aux effluves historiques. Les neuf chambres du Candleberry Inn sont meublées dans le style classique de la Nouvelle-Angleterre et pourvues d'antiquités.

The Blue Cedar
$$$ pdj
≡, *S*
699 Main St./Rte 6A, MA 02631
☎*896-4353*
www.thebluecedar.com
Pour ceux qui désirent beaucoup d'intimité : le Blue Cedar ne compte que trois chambres immaculées, où se mêlent agréablement l'ancien et le moderne.

Captain Freeman Inn
$$$-$$$$ pdj
≡, ≈, ℜ, *S*
15 Breakwater Rd., MA 02631
☎*800-843-4664*
⇄*896-5618*
www.captainfreemaninn.com
Décidément, il n'a rien à envier à personne, le Captain Freeman Inn, sis sur un magnifique terrain. Son élégance et sa splendeur se

reflètent jusque dans les chambres. De style traditionnel, certaines portent en elles un brin de romantisme avec lit à baldaquin et foyer. Vélos disponibles pour la promenade.

Orleans

The Nauset House Inn
$$-$$$ pdj
bc/bp, S
Beach Rd.
East Orleans, MA 02643
☎255-2195
www.nausethouseinn.com
Ce qu'il est rafraîchissant, le Nauset House Inn! Pas guindé pour deux sous et chaleureux, décoré pour que les invités se sentent chez eux. Et, pour ajouter à son charme vieillot, des petits prix comme il s'en fait rarement à Cape Cod pour un *inn* de cette qualité. Ne le dites pas trop fort : il est tout près de la magnifique Nauset Beach... Hautement recommandé.

Morgan's Way
$$$ pdj
≡, ≈, *S*
9 Morgan's Way, MA 02653
☎255-0831
www.capecodaccess.com/ morgansway
Aménagé dans une demeure moderne, architecturalement très intéressante, le Morgan's Way propose deux chambres spacieuses, qui donnent sur la piscine arrière et les jardins.

Nauset Beach-side Motel and Cottages
$$$
ℂ, *S*
223 Beach Rd.
East Orleans, MA 02643
☎255-3348
≈247-9184
Le Nauset Beach-side ne pouvait jouir de plus parfait emplacement, à distance de marche de la magnifique Nauset Beach. Cet établissement tranquille propose des chambres de type motel, fonctionnelles et équipées de tout ce qu'il faut pour éviter les repas au restaurant.

The Cove
$$$
≡, ≈, ℝ, *S*
Rte. 28, MA 02653
☎255-1203 ou 800-343-2233
The Cove est un lieu de villégiature confortable dont les chambres modernes sont équipées pour recevoir les gens d'affaires. Les familles se réjouiront également des nombreuses activités estivales mises à la disposition des visiteurs, dont une croisière gratuite à bord du *Nauset Explorer*.

The Parsonage Inn
$$$ pdj
≡, *S*
202 Main St.
East Orleans, MA 02643
☎255-8217 ou 888-422-8217
≈255-8216
www.parsonageinn.com
Bed and breakfast historique et romantique, installé dans

une demeure datant de 1770, le Parsonage Inn est une retraite tranquille, aux chambres agrémentées d'antiquités.

L'Outer Cape (d'Eastham à Provincetown)

Eastham

Atlantic Oaks Campground
$
3700 Rte. 6, MA 02642
☎ *255-1437 ou 800-332-2267*
L'Atlantic Oaks Campground est situé près de l'entrée du Cape Cod National Seashore et à proximité du Cape Cod Rail Trail. Les 100 emplacements sont situés sur un terrain boisé fort charmant, et, bien que les tentes soient acceptées, le site convient mieux aux véhicules récréatifs.

Hostelling International Mid-Cape
$
bc/bp, S
75 Goody Hallet Dr., MA 02642
☎ *255-2785*
⇄ *240-5598*
Petits budgets, réjouissez-vous de ce que deux auberges de jeunesse (voir p 144) se soient installées à Cape Cod. Les *cabins* de cette auberge sont situées sur un terrain boisé, à proximité du Cape Cod Rail Trail.

The Whale...
$$$$ pdj
⊛, ℜ, ≡, S
220 Bridge R...
☎ *255-0617*
⇄ *240-0017*
www.whal...
Le Whalewalk Inn offre beaucoup d'intimité. Les lecteurs du *Cape Cod Life Magazine* l'ont élu durant six années consécutives meilleur *inn* de l'Outer Cape, non sans raison. Ses 16 chambres, romantiques et spacieuses, sont réparties dans cinq bâtiments sur un terrain merveilleusement bien aménagé.

Wellfleet

Paine's Campground
$
mi-mai à mi-sept
Old Country Rd., 1,6 km au nord de Marconi Beach
South Wellfleet, MA 02663
☎ *349-3007*
Le Paine's Campground, c'est 150 emplacements boisés pour tentes et véhicules récréatifs, avec activités sportives sur place. On peut se rendre à l'océan en vélo. Sections du terrain réservées aux personnes seules ou aux couples sans enfants.

n'Tide Motel and
ges

-, ≈, ℝ, S
US 6
South Wellfleet, MA 02663
☎349-3410 ou 800-368-0007
www.capecod.net/eventide/
eventide.htm
L'Even'Tide propose des
petits prix et des chambres
propres, simplement déco-
rées, convenant parfaite-
ment à ceux qui ne désirent
pas passer beaucoup de
temps dans leur chambre. Il
est tout simplement parfait
pour les couples ou les
familles en long séjour.

The Inn at Duck Creeke
$$ pdj
bc/bp, S, ℜ
70 Main St., MA 02667
☎349-9333
www.capecod.net/duckinn
Avec son restaurant et sa
taverne adjacentes
(voir p 188), il est vivant, le
Inn at Duck Creeke. Bien
que ses chambres soient
petites et que les invités
doivent parfois partager la
salle de bain, il n'en demeure pas moins rafraîchissant et, surtout, sans prétention.

Holbrook House
$$$ pdj
≡, S
223 Main St., MA 02667
☎349-6706
www.holbrookwellfleet.com
Sise sur un magnifique terrain boisé, en plein centre
de Wellfleet, la Holbrook

House ouvre ses portes aux
visiteurs en quête d'intimité
et de tranquillité. Deux
immenses chambres et un
studio, de grandes aires
communes garnies de livres
et de magazines d'art, le
tout complété par la gentillesse des propriétaires, pour
un séjour agréable et paisible.

Truro

Hostelling International Truro
$
bc/bp, S
North Pamet Rd., MA 02666
☎349-3889
Sympathique petite auberge
de jeunesse installée dans
une ancienne station de
garde côtière, Hostelling
International Truro propose
aux visiteurs un emplace-
ment idéal à 5 min de la
plage. La vue depuis les
fenêtres de la cuisine est
superbe.

North of Highland Camping
Area
$
&
fin mai à mi-août
Head of the Meadow Rd.
North Truro, MA 02652
☎487-1191
Ce charmant terrain de
24 ha, disposant de 237
emplacements boisés et
intimes, pour tentes et
véhicules récréatifs, est situé
à distance de marche de la
plage et du Cape Cod Na-
tional Seashore.

Des espaces naturels somptueux entourent Provincetown, petite enclave urbaine trônant sur la pointe nord de Cape Cod.
- *Mark Heard*

Les célèbres maisons arabiscotées *(gingerbread uses)* d'Oak Bluffs, sur Martha's Vineyard, artiennent à la mode rchitecturale orienne avec rs tourelles, urs dentelles bois et leurs uleurs vives.
Mark Heard

Les phares, gardiens de la mer, se dressent sur la presqu'île de Cape Cod et les îles voisines, comme ici sur Nantucket. - *Alexandra Gilb*

North Truro Camping Area
$
&, ★
Highland Rd.
North Truro, MA 02652
☎*487-1847*
www.ntcacamping.com
Ce terrain de camping enchanteur est à l'abri dans une forêt de pins. Ses 350 emplacements sont situés à proximité de Provincetown et de toutes les activités reliées à la mer, incluant les plages du Cape Cod National Seashore.

Truro Vineyards of Cape Cod Winery & Inn
$$-$$$ *pdj*
S
Rte. 6A (Shore Rd.)
North Truro, MA 02652
☎*487-6200*
Pour une expérience mémorable empreinte de tranquillité et de romantisme, optez pour une nuitée au Truro Vineyards of Cape Cod. Cette auberge blottie au creux d'un vignoble est ceinte d'un paysage qui rappelle la France. Les chambres sont magnifiques et l'ambiance est à la détente... et à la dégustation de vin (voir p 77).

Provincetown

Durant la saison estivale, on retrouve à Provincetown des établissements à forte majorité gay ou lesbienne, tandis que d'autres sont plutôt associés aux couples hétérosexuels ou aux familles. Il semble que, dès le début du mois de septembre, la clientèle tende à se diversifier au sein de ces mêmes établissements.

Dunes' Edge Campground
$
mai à sept
386 US 6, MA 02657
☎*487-9815*
www.dunes-edge.com
Ce magnifique terrain tranquille dispose de 100 emplacements où tentes et véhicules récréatifs sont séparés. Situé à proximité des dunes et des plages, il se trouve à quelques minutes de vélo des restaurants et des attraits de Provincetown. Le camping est indiqué après le Mile 116.

Beaconlight Guesthouse
$$-$$$$ *pdj*
≡, ℑ, ℝ, S
12 Winthrop St., MA 02657
☎*487-9603 ou 800-696-9603*
www.capecod.net/beaconlight
À la Beaconlight Guesthouse, vous vous sentirez immédiatement comme chez vous et peut-être ne souhaiterez-vous relaxer plutôt que de vous lancer dans des visites effrénées. Le salon chauffé par un bon feu de foyer est convivial et les chambres sont décorées avec une touche à l'anglaise. Clientèle principale constituée de couples masculins.

Somerset House
$$-$$$$ pdj
⊗, ℝ, *S*
378 Commercial St., MA 02657
☎ *487-0383 ou 800-575-1850*
⇆ *487-4237*
www.somersethouseinn.com
La très sympathique Somerset House, dans les tons de jaune et vert, révèle un intérieur au décor contemporain très original. L'endroit est particulièrement vivant pendant la saison estivale avec ses barbecues du samedi. Idéal pour les visiteurs recherchant un établissement axé sur les services aux gens d'affaires. Clientèle surtout constituée de couples homosexuels.

Surfside Inn
$$-$$$$ pdj
≡, ≈, ℝ, *S*
543 Commercial St., MA 02657
☎ *487-1726 ou 800-421-1726*
www.surfsideinn.cc
Les chambres du Surfside Inn sont quelque peu démodées, mais elles n'en demeurent pas moins propres et, surtout, accessibles aux familles puisque les enfants de moins de 14 ans y logent sans frais lorsque accompagnés des parents. Choix de chambres donnant sur Commercial Street, sur la piscine ou sur la Cape Cod Bay.

The Prince Albert Guest House
$$-$$$$
bc/bp, ≡, ⊗, ℝ
166 Commercial St., MA 02657
☎ *487-0859 ou 800-992-0859*
www.princealbertguesthouse.net
Les 10 chambres de cette auberge victorienne construite en 1880 sont uniques et confortables. Magnifiques, elles sont pourvues de mobilier d'époque.

Heritage House
$$-$$$$ pdj
bc, *S*
7 Center St., MA 02657
☎ *487-3692*
www.heritageh.com
Située sur une rue tranquille, à deux pas de Commercial Street, la Heritage House est une délicieuse maison jaune à volets noirs. Propre et charmante, il s'en dégage une invitante cordialité. Clientèle surtout constituée de couples féminins.

Provincetown Inn
$$$-$$$$ pdj
≡, ≈, ℜ, *S*
One Commercial St., MA 02657
☎ *487-9500 ou 800-WHALEVU*
⇆ *487-2911*
www.provincetowninn.com
On oublie les chambres de type motel à la décoration quelque peu défraîchie du Provincetown Inn dès que l'on regarde par la fenêtre. L'aménagement en *U* d'une partie du complexe permet à tous de profiter du magnifique paysage tranquille et de l'air du large. La prome-

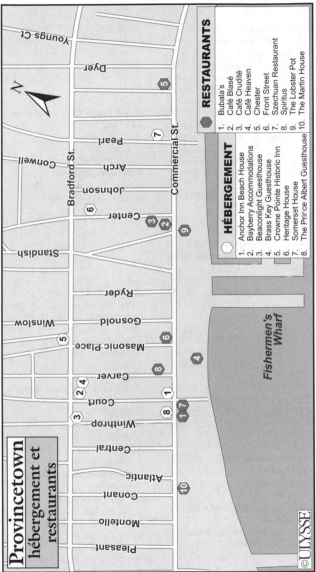

Provincetown
hébergement et restaurants

RESTAURANTS

1. Bubala's
2. Café Blasé
3. Café Crudité
4. Café Heaven
5. Chester
6. Front Street
7. Szechuan Restaurant
8. Spiritus
9. The Lobster Pot
10. The Martin House

HÉBERGEMENT

1. Anchor Inn Beach House
2. Bayberry Accommodations
3. Beaconlight Guesthouse
4. Brass Key Guesthouse
5. Crowne Pointe Historic Inn
6. Heritage House
7. Somerset House
8. The Prince Albert Guesthouse

Fishermen's Wharf

© ULYSSE

nade menant à la Wood End Light est juste à côté et c'est là une de ses grandes richesses, puisque les couchers de soleil sont spectaculaires. Situé à 20 min de marche du centre de la ville, il assure à sa clientèle une tranquillité idyllique, comme s'il avait été construit au bout du monde. Clientèle mixte, familles avec enfants bienvenues.

Bayberry Accommodations
$$$-$$$$ pdj

≡, S

16 Winthrop St., MA 02657

☎487-4605 ou 800-422-4605

www.bayberryaccommodations. com

Les grandes chambres de facture classique du Bayberry Accommodations sont décorées avec goût et il règne dans toute cette maison une douce tranquillité. L'aménagement extérieur est intéressant avec tables et chaises où il fait bon prendre le petit déjeuner et terrasse fermée dotée d'un bassin à remous. Clientèle surtout constituée de couples masculins.

Anchor Inn Beach House
$$$$ pdj

⊛, ≡, ℑ, ℝ, S

175 Commercial St., MA 02657

☎487-0432 ou 800-858-2657

⇄487-6280

www.anchorinnbeachhouse.com

Située en front de mer, l'Anchor Inn Beach House est pourvue de délicieux balcons où il fait bon

prendre un café tout en observant le va-et-vient de Commercial Street. D'une grande élégance, quelques-unes de ses chambres font face à la mer.

Brass Key Guesthouse
$$$$ pdj

≡, ≈, ℝ, S

67 Bradford St., MA 02657

☎487-9005 ou 800-842-9858

www.brasskey.com

La Brass Key Guesthouse est un des établissements les mieux cotés de Provincetown. Sa cour intérieure fermée assure beaucoup d'intimité, de même que ses chambres adorables aménagées avec le plus grand goût et réparties dans les quelques bâtiments formant l'établissement. Ici, le mot «vacances» prend tout son sens... Bassin à remous et clientèle mixte mais surtout constituée de couples masculins.

Crowne Pointe Historic Inn
$$$$ pdj

⊛, ≡, ≈, ℝ, S, ら

82 Bradford St., MA 02657

☎487-6767 ou 877-CROWNE1

⇄487-5554

www.crownepointe.com

Une ancienne résidence de capitaine entourée d'espaces habitables pour les marins a été transformée à coup de plusieurs millions en un établissement hôtelier luxueux au plus moderne confort. Le personnel irremplaçable du Crowne Pointe

Hébergement

Historic Inn assure dès l'arrivée un séjour de la plus haute qualité. La décoration des chambres est de facture classique, et, si la plupart disposent d'une baignoire à remous, toutes mettent à votre disposition système de son, robes de chambre et cafetière. La disposition des unités de logement autour d'une terrasse fermée pourvue d'un bassin à remous accentue la douce intimité de l'endroit. Clientèle mixte mais surtout constituée de couples masculins.

Le sud du cap (de Chatham à Falmouth)

Chatham

Nantucket House of Chatham
$$$-$$$$ pdj
bc, ≡, S
2647 Main St./Rte. 28
South Chatham, MA 02659
☎*432-5641*

L'histoire de la Nantucket House of Chatham est inscrite sur ses murs et son magnifique plancher d'origine; en 1867, lorsque l'industrie baleinière déclina à Nantucket, le propriétaire décida de déménager sur le cap... avec sa maison! Il la mit à la mer et la fit dériver jusqu'à son emplacement actuel. Cette demeure histo-

rique abrite désormais une auberge pleine de charme, intime et chaleureuse comme ses propriétaires. Seul inconvénient, les salles de bain doivent être partagées par les hôtes.

Chatham Bars Inn
$$$$
≡, ≈, ⊙, ℜ, S
Shore Rd., MA 02633
☎*945-0096 ou 800-527-4884*
⇌*945-6785*
www.chathambarsinn.com

Luxueux parmi les plus luxueux, le Chatham Bars Inn figure, selon le *Condé Nast Traveler*, parmi les meilleures stations balnéaires au monde. Celui qui ouvrit ses portes en 1914 peut se targuer d'avoir choisi un site privilégié, sur un promontoire surplombant la Pleasant Bay et l'océan Atlantique. L'endroit possède tout ce qui donne un sens à la définition du mot «vacances» : une plage privée, un terrain de golf de neuf trous, un court de tennis et même un programme d'activités pour les tout-petits.

Les chambres ne sont pas en reste, pleines d'une grâce doublée d'un confort moderne, et les restaurants (voir p 176) ont été maintes fois récompensés par des prix d'excellence. Les nuitées ne sont pas pour toutes les bourses : entre 220$ et 1 500$.

Chatham Town House Inn
$$$$
≡, ≈, S, ℜ, ℝ
11 Library Lane, MA 02633
☎945-2180
⇄945-3990
www.chathamtownhouse.com

Situé au centre de Chatham, le Chatham Town House Inn propose toute une gamme de chambres, à mi-chemin entre le *bed and breakfast* et l'hôtel. L'endroit est populaire auprès des vacanciers européens, et très animé.

The Hawthorne
$$$$
ℂ, ≡, S, ℝ
196 Shore Rd., MA 02633
☎945-0372
www.thehawthorne.com

On ne va pas au Hawthorne pour ses bas prix ou son charme, mais plutôt pour son emplacement idéal, en front de mer, et ses chambres aménagées de façon fonctionnelle. L'établissement dispose de 16 chambres dites de motel, de 10 chambres équipées de cuisinettes et d'un cottage. Plage privée.

Harwich

Clapp's Guest House
$$
bc/bp, ≡, S
15 South St., Harwich Port, MA 02646
☎432-0600
www.capecodtravel.com/clapp

Il faut se rendre à la Clapp's Guest House pour tomber immédiatement sous le charme de cette auberge aux volets rouges. L'atmosphère est chaleureuse et vous vous sentirez immédiatement chez vous. Excellent rapport qualité/prix.

The Sea Heather Inn
$$-$$$ pdj
≡, ℑ, S
28 Sea St.
Harwich Port, MA 02646
☎432-1275 ou 800-789-7809
www.seaheather.com

Le Sea Heather Inn propose deux types d'hébergement : l'un dans le style motel et l'autre qui se rapproche du *bed and breakfast*. Dans chacun des cas, les amoureux des plages seront ravis d'entendre que la Sea Street Beach se trouve tout près. Louez, si possible, une chambre avec vue sur le Nantucket Sound.

Yarmouth

Tidewater Motor Lodge
$$-$$$
≡, ≈, △, S, ℝ
135 Main St./Rte. 28
West Yarmouth, MA 02673
☎775-6322 ou 800-338-6322
⇄778-5105
www.capecod.net/tidewater/tidewater.html

Parmi les hôtels et motels de tout acabit – dont plusieurs franchement repoussants – qui bordent la Route 28, vous serez agréablement surpris par le Tidewater Motor Lodge. De l'extérieur, il n'a rien de particulier, mais il dispose de plusieurs services, dont une cafétéria pour le petit déjeuner et des aires de jeux pour les enfants. Les chambres sont simples et propres, et le personnel est extrêmement attentif.

Ocean Mist
$$$
≡, ≈, ℝ, S, ♿
97 S. Shore Dr.
South Yarmouth, MA 02664
☎*398-2633 ou 800-248-6478*
www.capecodtravel.com/
oceanmist

L'Ocean Mist, situé directement sur une plage réservée exclusivement à ses invités, ravira les vacanciers en quête de mer et de soleil. Ses chambres, bien que modernes, sont pourvues d'une décoration d'un goût douteux, mais elles sont fonctionnelles et idéales pour les familles avec enfants. Personnel accueillant.

The Inn a Cape Cod
$$$-$$$$ pdj
≡, S
4 Summer St., angle Rte. 6A
Yarmouth Port, MA 02675
☎*375-0590 ou 800-850-7301*
www.capecodtravel.com/
innatcapecod

Vous ne pouvez manquer cette imposante demeure de style néoclassique dans laquelle est aménagé The Inn at Cape Cod. Les chambres sont confortables et un brin romantiques, avec leurs rideaux de dentelle blanche

aux fenêtres. Bien qu'élégant, il n'en demeure pas moins très informel, grâce au sympathique propriétaire Doug.

Wedgewood Inn
$$$-$$$$ pdj
⅋, ≡, S
83 Main St./Rte. 6A
Yarmouth Port, MA 02675
☎*362-5157 ou 362-9178*
⇶*362-5851*
www.wedgewood-inn.com

Tout le charme de la Nouvelle-Angleterre se retrouve au Wedgewood Inn, restauré magnifiquement pour plonger les visiteurs dans une atmosphère du début XIXe siècle. Les chambres sont spacieuses et les salles de bain immenses. Plusieurs possèdent un foyer qui ajoute un cachet particulier aux beaux planchers d'origine et aux courtepointes étendues sur les lits. Tout le monde est fou de cette auberge, mais les propriétaires semblent un peu blasés de cette popularité.

Hyannis

Captain Gosnold Village
$$-$$$
ℂ, ≈, S
230 Gosnold St., MA 02601
☎*775-9111*
www.captaingosnold.com

Situé près de l'Orrin Keyes Beach, le Captain Gosnold Village est parfait pour les familles avec enfants ou pour ceux qui prévoient un long séjour. Plusieurs types d'hébergement sont disponibles : la chambre de motel, le *efficiency studio*, idéal pour deux personnes, qui compte une cuisinette et le cottage, équipé d'un salon, d'une cuisine complète et d'une galerie privée.

Harbor House Inn
$$-$$$ pdj
≡, ℂ, ℝ, *S*
119 Ocean St., MA 02601
☎771-1880 ou 800-211-5551
www.harborhouseinn.net

Les familles sont les bienvenues au Harbor House Inn. L'établissement est convenablement situé à distance de marche des traversiers vers Martha's Vineyard et Nantucket, ainsi que de plusieurs restaurants et plages. Les chambres sont simples mais propres et, surtout, fonctionnelles.

Hyannis Inn Motel
$$-$$$
⊗, ≡, ≈, △, ℝ, ℛ, *S*, &
473 Main St., MA 02601
☎775-0255 ou 800-922-8993
⇆771-0456
www.hyannisinn.com

Le Hyannis Inn Motel est extrêmement populaire, malgré des chambres plutôt sombres, au décor de base. Sa location privilégiée, au cœur même du centre-ville de Hyannis, sur Main Street, est plus que toute autre chose la clé de son succès.

Four Points Hotel Sheraton
$$$$
≡, ≈, ☺, ℝ, *S*, &
angle Rte. 132 et Bearse's Way,
MA 02601
☎771-3000 ou 800-325-3535
⇆771-6564
www.fourpoints.com

Le Four Points Hotel Sheraton est tranquille et de bon goût comparativement à d'autres établissements situés à proximité. Tout devient paisible dès que l'on en franchit le seuil, et la cour intérieure est parfaite pour se détendre en fin de journée. Les chambres sont modernes et confortables.

🚢 Simmons Homestead Inn
$$$$ pdj
⊗, *S*, 🐾
288 Scudder Ave.
Hyannis Port, MA 02647
☎778-4999 ou 800-637-1649
⇆790-1342
www.capecod/simmonsinn

Il ne sait pas lui-même comment tout cela a commencé. Chose certaine, Bill Putman, ancien coureur automobile, a fait de sa petite collection d'objets représentant des animaux la marque de commerce de l'unique Simmons Homestead Inn. Chaque chambre reflète une thématique animale prédominante, de la girafe à l'éléphant en passant par plusieurs autres. Les invités charmés par l'ambiance de «jungle campagnarde» qui y règne lui envoient souvent des figurines après leur séjour.

Mais il n'y a pas que le véritable fouillis animal – qui, curieusement, a bon goût – qui consacre l'établissement au rang des plus agréables de la presqu'île. Il y a le vin et le fromage de l'après-midi, les hamacs de la cour arrière, la salle de billard, l'ineffable gentillesse de Bill Putman, qui prend le temps de s'amuser avec ses invités, et son impressionnante collection d'automobiles rouges – de vraies! –, de la Mercedes Bentley à la Ferrari.

Falmouth

Sippewissett Campground & Cabins
$
836 Palmer Ave., MA 02540
☎548-2542 ou 800-957-2267
Ce magnifique camping boisé propose à ses invités un service gratuit de navette pour les plages et le quai du traversier de Woods Hole vers Martha's Vineyard. Les emplacements sont propres, il s'en dégage assez d'intimité et le personnel se fera un plaisir de répondre à vos questions.

La Route 28, qui traverse Falmouth, est bordée d'hôtels, récents ou non, qui plairont aux familles et aux plus petits budgets. Parmi eux, mentionnons le **Falmouth Inn** (≡, ≈, S, ℜ, △, 🐾, ♿; **$$-$$$**; 824 Main St., Falmouth, MA 02540, ☎540-2500

ou 800-255-4157, ≠540-9256, falmouthinn.com), une option abordable, en considérant surtout que les enfants de moins de 18 ans sont logés gratuitement, lorsque accompagnés de leurs parents. La décoration n'a pas été refaite depuis plusieurs années, mais le tout est propre et le personnel extrêmement sympathique.

🌴 Sjöholm Inn
$$-$$$ pdj
bc/bp, ⊗, S
17 Chase Rd.
West Falmouth, MA 02574
☎540-5706 ou 800-498-5706
Bob White est probablement l'hôte le plus attentionné et le plus intéressant à des kilomètres à la ronde. Demandez-lui la quête qu'il entreprit avec sa femme Barbara pour dénicher le plus parfait des *bed and breakfasts*, celui que ses hôtes aimeraient non pour la proximité de la mer ou des musées, mais pour ce qu'il aurait de mieux à offrir, une atmosphère «comme à la maison». Les chambres, décorées à la façon «Nouvelle-Angleterre», sont charmantes tout en restant simples. Idéal pour les familles avec enfants. Les petits prix raviront les budgets serrés.

Palmer House Inn
$$$-$$$$ pdj
⊗, ℜ, ≡, S, ₺
81 Palmer Ave., MA 02540
☎548-1230 ou 800-472-2632
www.palmerhouseinn.com

Le Palmer House Inn est constitué de deux maisons qui comptent au total 17 chambres d'une grande élégance. Bien que certaines soient petites, elles sont toutes finement décorées, et quelques-unes réservent aux invités le luxe d'un foyer ou d'une baignoire à remous. Le perroquet de la maison vous accueillera dans le salon principal.

Grafton Inn
$$$$ pdj
≡, ⊗, S
261 Grand Ave., MA 02540
☎540-8688 ou 800-642-4069
⇌540-1861
www.graftoninn.com

L'emplacement idyllique du Grafton Inn, en face de la Falmouth Heights Beach, lui a assuré son avenir. L'auberge elle-même ne manque pas de charme, aménagée dans une demeure victorienne restaurée, et elle convient parfaitement aux gens d'affaires. Les chambres sont meublées d'antiquités et pourvues de séchoirs électriques. Vue magnifique sur le Vineyard Sound.

La Maison Cappellari at Mostly Hall
$$$$ pdj
≡, S
27 Main St., MA 02540
☎548-3786
⇌548-5778
www.mostlyhall.com

Véritable palais italien au cœur de Falmouth, La Maison Cappellari at Mostly Hall est un de ces bijoux mis en valeur par les mains habiles de ses propriétaires, Christina et Bogdan. La première est une muraliste – canadienne – et le second un restaurateur d'antiquités. Chaque chambre, unique, appartient soit au style européen ou américain. Le décor en trompe-l'œil de certaines chambres transforme leur salle de bain en une petite demeure. La gentillesse des propriétaires et leur visible intérêt pour les invités achèvent de faire de ce lieu l'une des meilleures retraites de Cape Cod. Si votre budget vous le permet, descendez-y.

Woods Hole

Sleepy Hollow Motor Inn
mi-mai à fin oct
$$-$$$
≡, ≈, ℝ, S
527 Woods Hole Rd., MA 02543
☎548-1986
www.capecod.net/shmotel

Les chambres de ce motel sont disposées en *U* sur un terrain boisé, avec une piscine au milieu. L'établissement est très bien situé, à distance de marche du traversier vers Martha's Vineyard et du centre-ville de Woods Hole. Ses chambres fonctionnelles conviennent aux familles, mais elles sont quelque peu sombres.

Sand of Time Motor Inn & Harbor House
$$$-$$$$ pdj
≡, ≈, S
549 Woods Hole Rd., MA 02543
☎ ***548-6300 ou 800-841-0114***
⇌ ***457-0160***
www.sandoftime.com

Belle découverte, que le Sand of Time, en surplomb sur le Vineyard Sound. Sous des allures très modestes se cachent pourtant des chambres confortables dont les balcons privés permettent de ne rien manquer de la vue magnifique. Pour une chambre se rapprochant plus du *bed and breakfast* que du motel, logez à la Harbor House, à l'arrière du bâtiment principal.

Martha's Vineyard

Vineyard Haven

Martha's Vineyard Family Campground
$
mai à oct
S
569 Edgartown Rd., MA 02568
☎ ***693-3772***
⇌ ***693-5767***
www.campmvfc.com

Le seul terrain de camping de l'île se trouve dans une forêt de chênes et représente une des rares alternatives aux lieux d'hébergement coûteux de Martha's Vineyard. Vous trouverez sur place des toilettes modernes et une laverie automatique. Il est impératif de réserver à l'avance.

The Look Inn
$$$ pdj
⅀, *bc*
13 Look St., MA 02568
☎ ***693-6893***

Bien que cette auberge établie dans une maison de ferme de 1806 ne possède que trois chambres, n'hésitez pas à vous y installer car les prix sont justes et l'atmosphère, paisible. Elle se trouve dans le charmant quartier historique de Vineyard Haven.

The Tisbury Inn
$$$-$$$$ pdj
≡, ≈, ℜ, ☺, ⊗, △, S
Main St. angle State Rd., MA 02568
☎693-2200 ou 800-332-4112
⇌*693-4095*
tisinn@vineyard.net
Cette auberge aux allures d'hôtel renferme 32 chambres au décor contemporain, voire moderne. Si vous visitez l'île en hiver, il s'agit là d'une bonne option car les prix descendent alors jusqu'à 75$ par nuitée.

Martha's Place
$$$$ pdj
≡, ℑ
114 Main St., MA 02568
☎693-0253
www.marthasplace.com
Martha's Place est une imposante maison néoclassique située en face de l'Owen Park Beach. Les six chambres de ce *bed and breakfast* sont décorées avec goût et équipées de grands lits confortables accueillants à souhait après une journée passée à parcourir l'île en tous sens.

Oak Bluffs

The Ship's Inn
$$-$$$
mars à nov
≡
18 Kennebec Ave., MA 02557
☎693-2760
Le Ship's Inn est une auberge aux prix convenables exploitée par la famille DeBettencourt. Elle vous propose 16 chambres au décor lumineux et une terrasse extérieure sur laquelle il fait bon se détendre au début ou à la fin d'une journée d'exploration.

Martha's Vineyard Surfside
$$-$$$$
≡, ℜ, ℝ
Oak Bluffs Ave., MA 02557
☎693-2500 ou 800-537-3007
⇌*693-7343*
www.mvsurfside.com
Le Surfside ne se trouve qu'à un jet de pierre de l'embarcadère du traversier, et s'impose comme un des seuls endroits où loger à Oak Bluffs, quelle que soit la saison. Vous y trouverez de nombreuses chambres de type motel, toutes propres et confortables.

The Wesley Hotel
$$$-$$$$
mai à oct
≡, bp/bc
70 Lake Ave., MA 02557
☎693-6611
Cet hôtel de style «gothique-charpentier» domine élégamment Oak Bluffs et son port du haut d'une colline. De l'extérieur, il s'agit d'une très belle construction, si ce n'est que les chambres qu'il renferme présentent un décor moderne peu inspirant. Cela dit, nombre d'entre elles ont vue sur l'océan...

The Oak Bluffs Inn
$$$-$$$$ pdj
avr à déc

≡

Circuit Ave., MA 02557-2546
☎*693-7171 ou 800-955-6235*
⇌*693-8787*
www.oakbluffsinn.com
Parfaitement située sur la
trépidante Circuit Avenue,
cette auberge victorienne
on ne peut plus rose cadre
parfaitement bien parmi les
cottages à dentelles de bois
du voisinage. Il s'agit d'un
établissement fantaisiste et
romantique dont les neuf
chambres sont remplies
d'antiquités et pourvues de
salles de bain privées.

The Dockside Inn
$$$-$$$$ pdj
avr à nov

≡

Circuit Ave. Ext., MA 02557
☎*693-2966 ou 800-245-5979*
⇌*696-7293*
www.vineyard.net/inns
Le Dockside Inn occupe
une maison victorienne à
dentelles de bois tendue de
rose, de bleu layette et de
crème en surplomb sur le
port d'Oak Bluffs. Il propo-
se 22 chambres au décor
plus ou moins victorien
dont les lits et les papiers
peints s'avèrent plus at-
trayants que dans la
moyenne des hôtels. Le
porche se prête on ne peut
mieux à l'observation du
va-et-vient dans le port.

Edgartown

Shiretown Inn
$$-$$$$ pdj
≡, ℜ,ℂ
44 N. Water St., MA 02539-0921
☎*627-3353 ou 800-541-0090*
⇌*627-8478*
www.shiretowninn.com
Les prix varient grandement
dans cette auberge com-
posée de deux anciennes
maisons de capitaine, d'une
remise à calèches et d'un
cottage. La Carriage House
renferme de plus petites
chambres, également plus
rudimentaires et plus mo-
destes, tandis que les deux
vieilles demeures de
l'époque de la pêche à la
baleine, construites en 1795,
offrent beaucoup plus de
confort. Quant au cottage, il
conviendra parfaitement
aux familles, puisqu'il abrite
une cuisine complète et
deux chambres à coucher à
l'étage, quoiqu'il soit beaucoup plus onéreux.

Colonial Inn
$$$-$$$$ pdj
avr à déc
≡, ℂ, ℜ
38 N. Water St., MA 02539
☎*627-4711 ou 800-627-4701*
⇌*627-5904*
www.colonialinnmvy.com
En activité depuis l'été de
1911 en plein centre d'Ed-
gartown, le Colonial Inn
renferme 43 chambres
confortables et décorées
avec goût. Les antiquités n'y
sont pas légion, mais l'en-

semble se veut clair, aéré et fort plaisant.

The Victorian Inn
$$$$ pdj
≡, ☎
24 S. Water St., MA 02539
☎*627-4784*
www.thevic.com

Souvent désigné comme le meilleur *bed and breakfast* de l'île, le Victorian Inn loue 14 chambres très joliment décorées – certaines s'enorgueillissent d'une cheminée, d'un lit à baldaquin et d'une terrasse ou d'un balcon, et les antiquités de qualité y sont omniprésentes. Si vous êtes à la recherche d'un lieu de retraite romantique sur Martha's Vineyard, vous ne pouvez vous tromper en logeant dans ce chic établissement. Authentiquement victorien, il vous sert même un petit déjeuner gastronomique à quatre services!

The Daggett House
$$$$
≡, ℜ
59 N. Water St., MA 02539
☎*827-4600 ou 800-946-3400*
≈*627-4611*
www.mvweb.com/daggett

Situé dans le port d'Edgartown, cet établissement regroupe trois bâtiments sur une propriété paysagée. La Daggett House à proprement parler est une maison coloniale en bardeaux qui renferme sept chambres; la Captain Warren House est une maison de capitaine néoclassique de 15 chambres; et le Garden Cottage, qui se trouve au bord de la mer, recèle deux chambres. Toutes les chambres bénéficient d'un décor individuel et regorgent d'antiquités.

The Charlotte Inn
$$$$ pdj
≡, ℜ, S, ⊗
South Summer St., MA 02538
☎*627-4751*

Exquis (et cher) à mourir, le Charlotte Inn attire les visiteurs au portefeuille bien garni et aux goûts les plus raffinés. Il s'agit à proprement parler d'un musée du mobilier anglais d'autrefois, et ses chambres sont sans contredit les plus impressionnantes que vous trouverez sur Martha's Vineyard, peut-être même dans toute la Nouvelle-Angleterre. Bref, un bijou incomparable, et qui justifie tous les dollars qu'on vous demande pour y loger, à condition que vous en ayez les moyens, bien sûr. En été, les prix varient entre 275$ et 595$ par nuitée, et le restaurant de l'auberge se montre largement à la hauteur (voir p 183).

Le haut de l'île

**Hostelling International
Martha's Vineyard**
$
avr à nov
S, bc
Edgartown-West Tisbury Rd.
West Tisbury, MA 02575
☎*693-2665*
⇄*693-2699*
www.tiac.net/users/hienec
L'auberge de jeunesse de
l'île est installée en bordure
de la Manuel F. Cornellus
State Forest, et loue 78 lits à
14$ par nuitée chacun. Sa
cuisine commune vous
permettra d'éviter les restaurants coûteux de Mar-
tha's Vineyard. Il est impératif de réserver à l'avance.

Lambert's Cove Country Inn
$$$-$$$$ pdj
=, ℜ, S
Lambert's Cove Rd.
West Tisbury, MA 02568
☎*693-2298*
⇄*693-7890*
*www.vineyard.net/biz/
lambertscoveinn*
Le Lambert's Cove Country
Inn occupe une maison de
ferme de 200 ans entourée
de hauts pins. Il propose au
total 15 chambres, la moitié
dans la maison elle-même
et les autres dans une
grange et une remise à
calèches restaurées.

**Menemsha Inn and
Cottages**
$$$-$$$$ pdj
avr à nov
S, ℂ
Box 38
Menemsha, MA 02552
☎*645-2521*
www.menemshainn.com
Cette formidable propriété
de 4,5 ha accueille une
auberge de 15 chambres et
12 cottages loués à la se-
maine en période estivale
(1 800$/sem.). Les chambres
bien éclairées et aérées de
l'auberge arborent des meu-
bles en pin, mais on s'exta-
sie surtout devant la pro-
priété elle-même, paisible à
souhait, qui offre une vue
spectaculaire sur le Vi-
neyard Sound, sans compter
qu'un sentier sinueux par-
court les dunes de la Me-
nemsha Beach. Les cartes
de crédit ne sont pas ac-
ceptées.

Nantucket

Notez que le camping est
interdit sur Nantucket.
Star of the Sea
$
mai à oct
bc
31 Western Ave. (sur la Surfside
Beach), MA 02554
☎*531-0433*
L'auberge de jeunesse Star
of the Sea représente l'op-
tion d'hébergement la
moins coûteuse sur Nantuc-
ket. Vous y trouverez 49
lits, une cuisine commune

et une aire de pique-nique. Le bâtiment en soi date de 1874, et abritait à l'origine un poste de sauvetage.

The Nesbitt Inn
$$

mars à déc

21 Broad St., MA 02554
☎228-0156

Le Nesbitt Inn, qui constitue un autre choix abordable, s'impose comme la plus vieille auberge de Nantucket – du moins, parmi celles qui ont été construites à cette fin. Style victorien. Les prix sont justes et la qualité, remarquable. Une excellente valeur.

The Overlook Hotel
$$-$$$ pdj

Three Step Ln., MA 02554
☎228-0695

L'Overlook Hotel se trouve à courte distance de marche du Steamship Wharf, et ses chambres spacieuses offrent des vues exceptionnelles du port de Nantucket. La véranda qui entoure l'établissement sur trois faces invite à la détente sous les brises océaniques.

Periwinkle Guest House
$$-$$$$ pdj
≡, *bp/bc*

9 North Water St., MA 02554
☎228-9267 ou 800-325-4046
www.theperiwinkle.com

Sara Shlosser-O'Reilly fait bon accueil à ses hôtes dans cet excellent *bed and breakfast* à l'ancienne situé sur une rue transversale tranquille près du Whaling Museum. Chaque chambre est décorée de façon individuelle et dispose d'un grand lit à baldaquin et à colonnes.

Hawthorn House
$$$-$$$$ pdj
≡, ⊗, ℝ, *bp/bc*

2 Chestnut St., MA 02554
☎228-1468
www.hawthorn-house.com

En plein centre historique de Nantucket, la Hawthorn House propose neuf chambres confortables dans une atmosphère chaleureuse. On ne sert pas le petit déjeuner sur place, mais vous aurez droit à des coupons-repas honorés dans trois restaurants voisins.

The Beachside at Nantucket
$$$-$$$$ pdj
≡, ≈, ℝ, &

30 North Beach St., MA 02554-2215
☎228-2241
www.thebeachside.com

Le Beachside recèle 90 chambres et suites à courte distance de marche de Main Street. Il s'agit d'un endroit recherché par les gens d'affaires, que ce soit pour quelques jours de repos, une réunion loin de tout, voire une réception spéciale, ce qui s'explique par sa taille et ses installations modernes.

Seven Sea Street
$$$-$$$$ pdj
≡, ℝ, ℜ
Seven Sea St., MA 02554
☎228-3577
⇄228-3578
www.sevenstreetinn.com

Le Seven Sea Street est une pension bâtie de chêne rouge aux poutres apparentes, dans un style tout à fait caractéristique de Nantucket. Ses neuf chambres et ses deux suites sont agrémentées de meubles américains des premiers jours de la colonie, notamment de jolis lits à baldaquin et à filet. Une merveille de petite auberge.

Jared Coffin House
$$$-$$$$
≡, ℝ
29 Broad St., MA 02554-1580
☎228-2400 ou 800-228-2405
⇄228-8549
www.jaredcoffinhouse.com

La pièce maîtresse de cette auberge en est la structure centrale, soit un manoir en brique de trois étages construit en 1845 pour Jared Coffin, un armateur prospère de Nantucket. Mais il y a aussi cinq autres bâtiments, offrant un total de 60 chambres dont certaines meublées d'antiquités et d'autres de copies de meubles d'époque.

The Cranberry House
$$$-$$$$
≡
33 Centre St., MA 02554-1267
☎228-2821
⇄228-5761
www.cranberryhouse.org

Érigée en 1860, la Cranberry House est un petit établissement reposant qui renferme huit chambres. Des courtepointes de la Nouvelle-Angleterre recouvrent les lits, et l'emplacement est on ne peut mieux choisi, en plein cœur du quartier historique de Nantucket.

Ship's Inn Nantucket
$$$-$$$$
≡, ℜ, *bp/bc*
13 Fair St., MA 02554
☎228-0040
⇄228-6524

Le Ship's Inn occupe une vieille maison construite en 1831 pour le capitaine Obed Starbuck. Chacune de ses 10 chambres porte le nom d'un des bateaux qu'a commandés Starbuck et révèle un décor chaleureux et unique. Charmant à souhait.

Quaker House Inn
$$$-$$$$
avr à jan
≡, ℜ
5 Chestnut St., MA 02554
☎228-0400
⇄228-2967
www.nantucket.net/lodging/quakerhouse

La Quaker House est une autre auberge de Nantucket qui regorge de beaux meubles d'époque et d'antiquités. Huit chambres y sont offertes en location.

🍍 The Pineapple Inn
$$$-$$$$ pdj
≡
10 Hussey St., MA 02554
☎*228-9992*
⇌*325-6051*
*www.nantucket.-
net/lodging/pineappleinn*

On ne peut plus luxueux et romantique, le Pineapple Inn recèle 12 chambres garnies de lits à baldaquin et à colonnes fabriqués à la main, d'édredons en duvet d'oie, de tapis orientaux, de baignoires en marbre blanc, ainsi que d'antiquités et d'œuvres d'art du XIXe siècle. D'entre tous les *bed and breakfasts* haut de gamme de l'île, celui-ci vous est hautement recommandé. Vos hôtes Caroline et Bob Taylor en ont fait un véritable joyau.

The Wauwinet
$$$$ pdj
mai à oct
≡, ℜ, ⊗, S
Wauwinet Rd.,
MA 02584
☎*228-0145 ou
800-426-8718*
www.wauwinet.com

Si vous êtes en quête de l'établissement le plus chic qui soit sur Nantucket, sachez que le Wauwinet vous réserve un accueil sans pareil dans un cadre à faire rêver sur la péninsule de Coskata. Élégantes et somptueuses, ses 35 chambres bénéficient d'un décor confortable et chaleureux de style champêtre. On a pensé à tout, des barques et des kayaks gracieusement mis à votre disposition aux dégustations de fromage et de sherry en après-midi. Le matin, le soleil se lève sur l'océan Atlantique, et, au crépuscule, vous le verrez se coucher sur la baie de Nantucket. Malheureusement, le prix des chambres ne convient qu'aux plus riches d'entre vous. Il y a également sur la propriété un restaurant haut de gamme (voir p 186).

Restaurants

L a multiplicité des tendances qui caractérise Cape Cod rehausse aussi la restauration.

A insi, pour le bonheur de tous, une grande variété de restaurants est disponible. Vous trouverez donc certes de quoi vous régalez. Mais n'oubliez surtout pas de goûter les poissons et fruits de mer!

O utre la description de nombre d'établissements, ce chapitre vous aidera à trouver plus facilement le type d'établissement et de cuisine qui vous convient.

D ans ce guide, les prix mentionnés pour les établissements s'appliquent à un repas pour une personne, excluant le service et les boissons, et devraient se lire comme suit :

$	moins de 10$
$$	de 11$ à 20$
$$$	de 21$ à 30$
$$$$	plus de 30$

Pourboire

En général, le pourboire s'applique à tous les services rendus à table, c'est-à-dire dans les restaurants ou autres endroits où l'on vous sert à table (la restauration rapide n'entre donc pas dans cette catégorie). Il est aussi de rigueur dans les bars et les boîtes de nuit; les chasseurs, les femmes de chambres et les chauffeurs de taxi s'attendent aussi à recevoir un pourboire.

Selon la qualité du service rendu, il faut compter environ 15% de pourboire sur le montant avant les taxes. Il n'est pas, comme en Europe, inclus dans l'addition, et le client doit le calculer lui-même et le remettre à la serveuse ou au serveur; service et pourboire sont une même et seule chose en Amérique du Nord.

L'Old King's Highway (de Sandwich à Orleans)

Sandwich

Dunbar Tea Shop
$-$$
1 Water St.
☎833-2485
Ce pittoresque salon de thé victorien rehaussé d'une cheminée en marbre et d'un plancher en bois de pin sert chaque après-midi le thé à l'anglaise accompagné de délices tels que scones cuits au four, garnis de confiture de fraises et arrosés de crème. Le midi, on propose également un menu «fermier» et un menu «pêcheur», composés entre autres de

rôti de bœuf et de maquereau fumé, et accompagnés de pain chaud et croustillant.

Marshland Restaurant
$-$$
109 Rte. 6A
☎888-9824
Le Marshland est l'endroit tout indiqué pour prendre un petit déjeuner économique et sans prétention dans un cadre à la fois rustique et authentique. En guise de décor, de simples banquettes orangées flanquées d'un comptoir bas et de tabourets pivotants rivés au sol. Le midi et le soir, on y propose des hamburgers, des hot-dogs et des plats du jour composés de fruits de mer. Vous trouverez même au menu un sandwich au beurre d'arachide et à la confiture! Sans prétention disions-nous...

Aqua Grille
$$-$$$
14 Gallo Rd.
☎888-8889
www.aquagrille.com
Situé en bordure du Cape Cod Canal, avec vue sur les bateaux amarrés (mais aussi, d'un côté, sur une centrale électrique), l'Aqua Grille sert une pléthore de plats de fruits de mer et de plats de viande. À l'intérieur, le décor se veut chic et moderne, et vous changera passablement des innombrables restaurants de bord de mer de la Nou-

velle-Angleterre dont le thème est plus volontiers maritime.

The Bee-Hive Tavern
$$-$$$
tlj 11h30 à 21h
406 Rte. 6A
East Sandwich
☎833-1184

La Bee-Hive Tavern propose des mets tout simples dans une atmosphère de taverne coloniale en planches jaunes et aux volets verts sur la Route 6A. Il y a beaucoup de bois et beaucoup de chaleur, et les prix raisonnables attirent beaucoup d'habitants de la région. Au menu, des fruits de mer, des biftecks et des pâtes.

The Dan'l Webster Inn
$$$-$$$$
149 Main St.
☎888-3622
www.danlwebsterinn.com

Le Dan'l Webster (voir p 139) sert d'excellents repas dans quatre décors différents : la taverne, la verrière, le salon de musique et la salle du patrimoine. Les quatre salles se révèlent agréablement aménagées, si ce n'est que la taverne est plus sombre et plus intime, et qu'on y propose un menu plus léger et plus économique. Dans tous les cas, le menu recèle de grands favoris tels que la côte de bœuf et le filet mignon, de même que d'autres plats de viande et

de fruits de mer créatifs. Nous vous recommandons fortement d'y aller le midi, lorsque les délicieux plats de la maison ne coûtent que 10$ à 12$.

The Belfry Inne and Bistro
$$$-$$$$
mar-dim
8 Jarves St.
☎888-8550
www.belfryinn.com

Le cadre unique de ce restaurant fort populaire constitue un atout de taille. Installé dans une ancienne église construite en 1900, il s'enorgueillit de murs pêche, de hauts plafonds, de vitraux et de nappes blanches en tissu qui, tout ensemble, contribuent à créer une atmosphère mémorable. Le menu de viande, de fruits de mer et de pâtes est appréciable, mais le service peut s'avérer très lent lorsque le restaurant s'emplit au-delà de sa capacité les fins de semaine.

Bourne

The Chart Room
$$-$$$
printemps et automne fin de semaine
Shipyard Ln., Kingman Marina, Cataumet
☎563-5350

Vous devrez faire un détour par Bourne pour visiter cette institution de Cape Cod, mais le déplacement

Restaurants

en vaut largement le coup. Bondé de gens du coin les fins de semaine, il exsude une aura d'authenticité peu commune, et l'on y invite même les clients à se lever et à chanter de concert avec le pianiste et le bassiste à demeure de la maison. Le menu, fortement axé sur les fruits de mer, est à faire rêver et, compte tenu de l'ambiance, il s'agit sans contredit d'un des plus merveilleux restaurants du cap.

Barnstable

Dolphin Restaurant
$$$
3250 Main St.
☎*362-6610*
Le Dolphin Restaurant est une enclave chaleureuse, éclairée à la bougie, en plein centre du village de Barnstable. Parmi les délices qui figurent au menu, retenons le filet grillé d'omble arctique, l'albacore noirci et le veau marsala.

Mattakeese Wharf
$$$
Barnstable Harbor
☎*362-4511*
Le Mattakeese Wharf ne se contente pas de surplomber le port de Barnstable, il est carrément monté sur pilotis directement au-dessus du port. La vue est sensationnelle, et le menu de pâtes, de viandes, de volailles et de fruits de mer est irréprochable. Les fruits de mer à

la Newburg, servis dans un bol en pain, constituent un choix savoureux et nourrissant.

Dennis

The Devon Tea Room
$
avr à nov
294 Main St., West Dennis
☎*394-6068*
www.devontearoom.com
Le Devon Tea Room est un petit établissement élégant au décor victorien truffé de porcelaine fine. On y sert le déjeuner et, bien sûr, le thé en après-midi. Au menu, des scones à la mode champêtre, des sandwichs au rôti de bœuf, du saumon fumé et de la salade de poulet, pour ne mentionner que ces choix.

Captain Frosty's
$-$$
avr à sept tlj
219 Rte. 6A
☎*385-8548*
Le Captain Frosty's est l'endroit tout indiqué à Dennis pour se gaver de fruits de mer frits pas santé pour un sou. Parfait pour un déjeuner sans façon ou un casse-croûte. Installez-vous à l'intérieur ou à l'extérieur pour déguster certains des délices estivaux de Cape Cod les plus prisés de Cape Cod.

Contrast Bistro
$$-$$$
605 Main St.
☎385-9100

Le Contrast Bistro, qui ressemble davantage à rendez-vous branché de New York ou de Los Angeles qu'à un chaleureux petit établissement de village de Cape Cod, est un ancien bar à *espresso* aux murs rouges et vert lime où l'on sert les martinis dans des gobelets en acier. Le menu s'en veut varié et propose à peu près de tout, du pain de viande au saumon en croûte poêlé au sésame.

Gina's by the Sea
$$-$$$
134 Taunton Ave.
☎385-3213

Le Gina, qui offre un menu italien traditionnel, compte parmi les restaurants les plus courus de Dennis. Petit, intime et attrayant, il vous réserve des plats maison tout à fait remarquables.

Scargo Café
$$-$$$
799 Rte. 6A
☎385-8200
www.scargocafe.com

Installé en face du Cape Playhouse, et d'ailleurs populaire auprès des amateurs de théâtre, le Scargo Café affiche un menu à la fois vaste et original. Pour peu que vous aimiez les produits de la pêche, nous vous suggérons le strudel aux fruits de mer, un pot-pourri de chair de crabe, de crevettes du Golfe, de «scrod» et de pétoncles cuit au four dans une pâte feuilletée et nappé d'une délicieuse sauce crémeuse à la Newburg.

Lighthouse Inn Restaurant
$$$-$$$$
sur la route de West Dennis Beach
West Dennis
☎398-2244
www.lighthouseinn.com

Le restaurant du Lighthouse Inn (voir p 140) occupe une vaste salle ouverte, lambrissée de bois et décorée d'antiquités, tandis que des drapeaux du monde et des États américains pendent au haut plafond. Le soir, le menu propose un choix étendu de fruits de mer, de viandes et de pâtes, alors que le midi ce sont plutôt des sandwichs et des salades. Un petit déjeuner buffet complète le tout entre 8h et 9h15.

The Red Pheasant Inn
$$$-$$$$
905 Main St.
☎385-2133

Une ancienne grange abrite aujourd'hui une salle à manger plus ou moins chic où la cuisine américaine contemporaine est à l'honneur. Cet établissement a su se tailler une réputation enviable avec des plats comme le saumon cuit sur bois de cèdre, glacé au miel et à la cannelle, et accom-

Restaurants

pagné de poireaux et de maïs en crème.

Brewster

Cobie's
$
fin mai à mi-sept
3260 Rte. 6A
☎896-7021

Ce comptoir de palourdes typique de Cape Cod sert des fruits de mer frits et des repas-minute. Bien situé sur la Route 6A, il arbore une enseigne rouge et blanc qui attire tout naturellement de nombreux visiteurs affamés du cap.

Brewster Inn and Chowder House
$$-$$$
1993 Main St./Rte. 6A
☎896-7771

Cette salle à manger de style champêtre tendue de papiers peints aux motifs floraux se veut sans préten-tion et tout à fait abordable, ce qui en fait un choix populaire auprès des habi-tants de la région. Menu caractéristique de potages et de sandwichs le midi, et de fruits de mer le soir. La chaudrée de palourdes y est excellente.

Spark Fish
$$$
2671 Main St.
☎896-1067
www.sparkfish.com

Le Spark Fish occupe une ancienne et adorable mai-son de capitaine en bar-deaux et en bois de char-pente peint en rouge. À l'intérieur, le décor est tou-tefois légèrement moins charmant, quoique le menu ne soit pas à dédaigner avec ses fruits de mer et ses viande, le tout cuit sur feu de bois. Songez également à vous y rendre le matin pour une omelette ou quelque autre petit déjeuner à bon prix.

The Brewster Fish House
$$$
2208 Main St.
☎896-7867

Le Brewster Fish House est un petit restaurant bien éclairé et aéré qui se trouve près de la chambre de com-merce de Brewster et pré-sente un menu exclusive-ment composé de plats de fruits de mer. La grillade mixte d'espadon, de crevet-tes, de pétoncles et d'an-douilles, accompagnée d'une trempette créole, ne mérite que des éloges, tout comme le loup de mer en croûte et aux noix. Il est impératif de réserver, car les places sont comptées.

Old Manse Inn
$$$-$$$$
1861 Main St.
☎896-3149

Le chef David Plum élabore une cuisine américaine contemporaine aux accents asiatiques qu'on vous sert dans une confortable salle à manger. Certains plats se révèlent très originaux, comme cette côtelette de porc double coupe en croûte aux noix de macadamia, garnie de carottes glacées à l'ananas, d'un concassé de courge musquée et d'une relish aux fruits tropicaux.

Chillingsworth
$$$$
2449 Main St.
☎**896-3640**

Sortez votre veste et vérifiez votre ligne de crédit avant de vous rendre dans ce restaurant français fort prisé qui rivalise depuis longtemps pour le titre de meilleur établissement du cap. Installé dans une superbe maison coloniale tricentenaire débordant d'antiquités, de cristal, d'arrangements floraux et de bougies, il ne vous offre rien de moins que la crème de la crème, mais ne convient malheureusement pas à toutes les bourses. Cela dit, si vous ne vous sentez pas d'attaque pour un festin français de sept services à prix fixe, la propriété abrite également un petit bistro offrant des repas plus légers à des prix plus abordables, et où l'on peut en outre déjeuner.

Orleans

Liam's at Nauset Beach
$
en saison tlj 9h à 20h
Nauset Beach, East Orleans
☎**255-3474**

Bien qu'il ne s'agisse en apparence que d'un comptoir de restauration rapide en bordure de la plage, le Liam a bâti sa réputation sur ses rondelles d'oignon, d'une qualité exceptionnelle. Encensées par des journaux tels que le *Los Angeles Times* et le *Boston Globe*, les rondelles du Liam sont uniques en leur genre, et accompagnent on ne peut mieux un panier de palourdes frites. Prenez toutefois garde aux mouettes, car on ne mange qu'à l'extérieur.

Land Ho!
$-$$
38 Main St.
☎**653-0430**

Le Land Ho! est un restaurant-bar chaleureux et terre à terre où l'on vous pro-

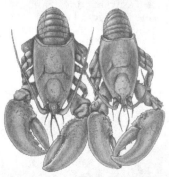

pose des sandwichs et des fruits de mer tout à fait acceptables. Il s'agit d'un petit établissement sans prétention qui attire aussi bien les gens du coin que les touristes.

Capt. Cass Rock Harbor Seafood
$-$$
117 Rock Harbor Rd.
Cette petite cabane sur le port, tendue de bouées pour la pêche au homard, sert des fruits de mer frits, des hamburgers et des petits pains fourrés de homard. Décor rustique rehaussé de nappes à carreaux bleus et blancs et de planchers de bois.

 Kadee's Lobster and Clam Bar
$$-$$$
juin à début sept
212 Main St.
☎240-2926
Installé dans une hutte extérieure décontractée on ne peut plus caractéristique de Cape Cod, le Kadee's ne peut que faire le bonheur des estivants. Idéal après une journée à la plage, vous y aurez le choix entre une variété de favoris, qu'il s'agisse de fruits de mer

frits, de chaudrées, de ragoûts, de homard ou de crudités agrémentées de crevettes, de palourdes et d'huîtres.

The Lobster Claw
$$-$$$
Rte. 6A
☎255-1800
Cet établissement aux allures de grange accueille volontiers les familles désireuses de savourer les fruits de mer du cap sans pour autant se ruiner, quoique le décor n'ait vraiment rien de romantique. Vous y trouverez à peu près tous les poissons et crustacés imaginables, le plus souvent bouillis ou frits. Quant au bâtiment, il est impossible de le manquer puisqu'il s'agit d'une structure criarde peinte en rouge et en blanc avec un immense homard en façade.

Mahoney's Atlantic Bar and Grill
$$$
28 Main St.
☎255-5505
Le chef Ted Mahoney vous propose sa version de la nouvelle cuisine américaine au Mahoney's Atlantic Bar and Grill, avec des plats tels que le sashimi de thon, le homard poêlé et flambé au brandy, ainsi que le filet mignon sauce bordelaise.

Captain Linnel House
$$$-$$$$
137 Skaket Beach Rd.
☎255-3400

Le Captain Linnel House est un des restaurants les plus romantiques de Cape Cod, et s'impose comme la meilleure option qui soit à Orleans pour un dîner raffiné. Le chef et propriétaire des lieux, Bill Conway, élabore des mets types de la Nouvelle-Angleterre comme le combiné pétoncles et crevettes sauce au homard et à l'estragon, ou le saumon de l'Atlantique poché. La carte des vins se veut étendue, et l'atmosphère est irréprochable. De plus, à ceux qui dînent tôt, on offre gracieusement le potage et le dessert à l'achat d'un plat au menu.

L'Outer Cape (d'Eastham à Provincetown)

Eastham

Mary's Black Skillet Café
$-$$
5960 Rte. 6A
North Eastham
☎240-3525

Pour tout dire plus près de Wellfleet que d'Eastham, Mary prépare chaque matin de nourrissants petits déjeuners campagnards dans son charmant petit café au long comptoir en pin et aux chaises dépareillées. Menu de fruits de mer et de plats de pâtes légers le soir.

Eastham Lobster Pool
$$-$$$
4380 Rte. 6
North Eastham
☎255-9706

À l'heure du dîner, jetez un coup d'œil sur le gigantesque réservoir de homards avant de prendre place dans la vaste salle à manger à aire ouverte ou sur la terrasse extérieure. Un bon choix pour les familles, ou pour quiconque ne veut que manger un bifteck ou un homard dans une atmosphère décontractée.

Arnold's Lobster and Clam Bar
$$-$$$
en saison 11h à 22h
Rte. 6
☎255-2575

Aux abords immédiats de la grand-route, non loin du Cape Cod National Seashore, Arnold's marie fruits de mer, pâte à frire et huile bouillante sous un auvent rayé jaune et blanc. Vous y trouverez en outre un buffet de crudités et du homard à très bon prix. On mange à l'extérieur sur la terrasse.

Restaurants

Wellfleet

Moby Dick's
$$-$$$
en saison 11h30 à 22h
Rte. 6
☎349-9795

Le Moby Dick's est une simple cabane à palourdes d'exploitation familiale qui offre un menu de fruits de mer à déguster en plein air. Ceux-ci sont frais et peuvent vous être servis grillés, cuits à la vapeur ou frits.

The Lighthouse
$$-$$$
Main St.
Wellfleet Center
☎349-3681

Le Lighthouse, un rendez-vous local de longue date, affiche l'habituel menu nocturne de fruits de mer, de biftecks et de pâtes. Il s'agit en outre d'un bon endroit où prendre un petit déjeuner conventionnel ou un déjeuner de sandwichs et de salades à un prix raisonnable.

Flying Fish Café
$$-$$$
29 Briar Ln.
☎349-7500

Le Flying Fish, qui s'annonce comme «un petit endroit original où manger», est un chic café aux planchers de bois installé dans une maison de couleur bleu-pourpre, non loin du centre de Wellfleet. Le dîner se veut «élégamment décontracté», son menu mettant l'accent sur les fruits de mer et des plats végétariens plutôt inventifs. Il s'agit également d'un bon choix à l'heure du petit déjeuner.

Painter's Restaurant
$$$-$$$$
50 Main St.
☎349-3003

Le Painter's est tout simplement merveilleux! Enfin un restaurant du cap qui n'hésite pas à tirer parti des richesses de la mer pour créer des plats réellement originaux. Que vous preniez des huîtres agrémentées de sauces vietnamiennes et japonaises ou le thon flambé aux graines de sésame et de moutarde sauce à l'orange et au gingembre, vous conviendrez que le chef et propriétaire Kate Painter a réussi à composer un menu remarquable. Il est intéressant de noter que le bâtiment en soi a été transporté sur l'eau depuis Billingsgate, une petite et mystérieuse île de pêche à la baleine qui a sombré dans la mer il y a de cela des années.

Aesop's Tables
$$$-$$$$
316 Main St.
☎359-6450

Aesop's Tables est un restaurant chaudement recommandé qui sert de la nouvelle cuisine américaine dans une maison de capitaine de 1805 aux murs blancs et aux volets noirs, en plein cœur du village. Le menu, qui flirte avec la cuisine fusion, peut notamment proposer des crevettes à la noix de coco façon thaïlandaise servies sur riz basmati, ou un saumon poêlé sur lit de salade aux algues japonaises, rehaussé de wasabi au gingembre, de beurre blanc et de soya doux.

Truro

Terra Luna
$$-$$$
Rte. 6A
North Truro
☎**487-1019**
Le Terra Luna vous attend dans un cottage en bardeaux dépourvu d'enseigne à seulement 5 min de route au sud de Provincetown, et vous propose une cuisine américaine contemporaine de même que des plats de fruits de mer frais. Il est tout spécialement réputé pour ses petits déjeuners hors du commun, entre autres composés de *burritos* «matinaux» et d'omelettes au homard et au *mascarpone*.

Provincetown

Spiritus
$
190 Commercial St.
☎**487-2898**
Ce restaurant familial de jour se transforme en ren-

dez-vous nocturne à la sortie des bars, et une soirée en ville ne saurait être complète sans une halte au Spiritus pour y déguster une pointe de pizza. En été, la section de Commercial Street aux abords immédiats du restaurant est souvent fermée en raison du grand nombre de fêtards qui envahissent alors la rue.

Café Crudité
$-$$
336 Commercial St.
☎**487-6237**
Les végétariens seront ravis de découvrir ce café aménagé sur le toit d'un immeuble, et où l'on sert aussi bien des mets végétarien, que végétaliens et macrobiotiques. Entre autres plats au menu, des *burritos* au riz brun biologique et aux haricots noirs et Pinto, des sautés indonésiens et «la meilleure salade grecque de Cape Cod», le tout avec vue à vol d'oiseau de Commercial Street.

Szechuan Restaurant
$$
179 Commercial St.
☎**487-0971**
Le nom peu original du Szechuan Restaurant ne rend pas justice aux délices qu'on y prépare. Oubliez l'espadon grillé pour un soir, et mordez plutôt à pleines dents dans un excellent poulet façon général Tao, ou dans toute autre

Restaurants

spécialité sichuanaise de la maison. Les portions sont énormes, les prix on ne peut plus raisonnables, et, oui, on peut même vous livrer votre repas.

Bubala's
$$-$$$
183 Commercial St.
☎487-0773

On distingue facilement le Bubala sur Commercial Street grâce à ses couleurs turquoise et moutarde, sans oublier sa grande terrasse souvent bondée. La nourriture y est bonne, et le dîner se compose de fruits de mer, de pâtes, de viandes et de mets végétariens. Au déjeuner, les sandwichs au pain focaccia sont vraiment délicieux, surtout celui au poulet boucané à la jamaïquaine – une véritable aubaine à 7,50$.

Café Heaven
$$-$$$
199 Commercial St.
☎487-9639

Le Café Heaven est un tout petit restaurant souvent envahi du milieu de la matinée jusque dans l'après-midi par la jeunesse bavarde et bien mise de Provincetown. Le décor s'en veut branché, et des œuvres d'art colorées en parent les murs. Les petits déjeuners se composent de crêpes, d'omelettes, de pain doré (pain perdu) et de saines mixtures à base de muesli, tandis que le menu du midi

vous propose des salades, des chaussons et des sandwichs uniques.

Café Blasé
$$$
en saison
328 Commercial St.
☎487-8433

Cet établissement, dont la réputation est franchement surfaite, s'est taillé une réputation en attirant nombre de célébrités trop heureuses de s'installer sur sa grande terrasse aux teintes pastel. Certes, la terrasse est attrayante, et tout indiquée pour observer le va-et-vient de Commercial Street, mais la nourriture n'en est pas moins médiocre, et le service n'a vraiment rien d'extraordinaire.

🦞 The Lobster Pot
$$$
jan à nov
321 Commercial St.
☎487-0842

Il s'agit là d'un des meilleurs endroits en ville, voire de tout le cap, pour déguster un crustacé bouilli. Il y a deux étages de salles à manger, et les clients font généralement la queue sur Commercial Street avant même que le restaurant n'ouvre ses portes. D'une façon ou d'une autre, les prix se maintiennent à un niveau raisonnable.

Sal's Place
$$$
99 Commercial St.
☎*487-1279*

Réservez à l'avance pour manger au Sal's Place, et demandez une table donnant sur le port pour vous offrir un très romantique dîner italien. La cuisine est authentique, du spaghetti boulettes de viande aux crevettes sauce marinière ou au vin blanc. Le décor de bistro italien s'agrémente de tables recouvertes de nappes à carreaux verts et blancs.

The Moors
$$$-$$$$
5 Bradford St.
☎*487-0544*

Le Moors, qui arbore un décor maritime à la fois sombre et chaleureux, est un bijou de restaurant où l'on sert une authentique cuisine portugaise. En guise d'exemples, la *lagosta vieira a moda de peniche* est une délicieuse cocotte de homard et de pétoncles arrosée d'une sauce tomate au vin et au brandy, et la *caldeirada a portuguesa* est un imposant ragoût de fruits de mer composé de crabe, de palourdes, de moules, de pétoncles et de crevettes. Et, ce qui n'est pas plus mal, les prix sont proportionnels à la taille des portions (les pétoncles, entre autres, sont de la taille d'une rondelle de hockey!).

The Martin House
$$$-$$$$
157 Commercial St.
☎*487-1327*

Le menu du Martin House, sans conteste l'un des hauts lieux de la restauration à Provincetown, est fortement axé sur la nouvelle cuisine américaine de type fusion. Il occupe une splendide maison en bardeaux de cèdre qui date de 1750, et s'enorgueillit d'une très attrayante terrasse verdoyante garnie de chaises en fer forgé noir pour les amateurs de dîners à la belle étoile. Les prix sont élevés, mais la nourriture est excellente.

Chester
$$$-$$$$
404 Commercial St.
☎*487-8200*

Une grande maison néoclassique du XIXe siècle accueille ce restaurant huppé sur lequel on ne tarit plus d'éloges depuis son ouverture en 1998. Le chef Michael McGrath élabore des plats américains saisonniers mettant souvent en vedette du veau de toute première qualité, de l'aloyau Angus, du homard, de l'espadon et du saumon de l'Atlantique. La carte des vins a reçu des prix d'excellence, et l'ambiance se fait invitante.

Restaurants

🌴 Front Street
$$$-$$$$
230 Commercial St.
☎487-9715

Le Front Street est on ne peut plus distingué, et ses prix sont tout à fait justifiés. La salle à manger en sous-sol, lambrissée de bois sombre, est intime et chaudement éclairée, et, bien que le menu change toutes les semaines, la nourriture demeure excellente. S'ils figurent au menu lors de votre passage, sachez que le carré d'agneau et le filet mignon farci au fromage gorgonzola sont absolument divins. La carte des vins est en outre étendue.

Le sud du cap (de Chatham à Falmouth)

Chatham

The Chatham Squire
$$$
487 Main St.
☎945-0945

Résolument peu chic, le Chatham Squire sert de bons repas nourrissants de viande, de fruits de mer et de pâtes dans une atmosphère tout ce qu'il y a de plus décontractée. Rien de bien raffiné, mais tout de même satisfaisant. Vous trouverez également sur place un buffet de mollus-

ques et crustacés crus, de même qu'un pub attenant.

The Impudent Oyster
$$$-$$$$
15 Chatham Bars Ave.
☎945-3545

Le chef Lou Concra prépare d'uniques plats de fruits de mer et de viande inspirés par la cuisine du monde, ce qui donne entre autres des plats tels que les pétoncles Tijuana et le porc Hangzhou. Comme le nom du restaurant le laisse entendre, on sert aussi des huîtres sur écaille ou apprêtées de diverses autres façons.

Sosumi
$$$-$$$$
mer-lun
14 Chatham Bars Ave.
☎945-0300

Le Sosumi est un élégant petit établissement au menu de sushis et de délices panasiatiques. Un poisson noir dans son bocal, dont chaque table est garnie, vous observera tandis que vous dégusterez de merveilleux tempuras, teriyakis et sautés.

Chatham Bars Inn Dining Room
$$$$
Shore Rd.
☎945-0096

Cette salle à manger exquise, vaste et ouverte, possède un mur entier de portes-fenêtres offrant une vue panoramique sur l'océan Atlantique, le cadre rêvé pour savourer les délectables créations du chef Hide Yamamoto, qu'il s'agisse de fruits de mer ou de viandes. Le menu n'est certes pas à la portée de toutes les bourses, si ce n'est qu'une taverne attenante sert des plats à des prix plus abordables.

Harwick

The Cape Sea Grille
$$$-$$$$
31 Sea St.
☎432-4745

Ce cottage aux bardeaux argentés s'impose comme le rendez-vous de choix des habitants de Harwich lorsqu'ils désirent manger de bons fruits de mer. La grillade mixte du Sea Grille ne laisse personne indifférent, et pour cause : homard d'une demi-livre grillé, espadon mignon roulé dans le bacon fumé au bois de pommier, saumon au beurre persillé et crevettes grillées. Un pur délice. Le menu se veut original, et la nourriture s'avère excellente.

Yarmouth

The Lobster Boat
$$-$$$
Rte. 28
☎775-0486

Vous ne pouvez manquer ce restaurant de fruits de mer familial sur la rue principale de Yarmouth,

dans la mesure où une grande embarcation semble sortir de sa façade. Menu de homard, de pétoncles et d'autres produits de la mer apprêtés de façon traditionnelle. À l'intérieur, le décor maritime est plutôt kitsch.

Abbicci
$$$-$$$$
43 Main St.
Yarmouth Port
☎362-3501

Une pittoresque maison jaune moutarde abrite l'Abbicci, un restaurant spécialisé dans les fruits de mer et les viandes à la mode du nord de l'Italie, sans oublier les pâtes, il va sans dire. Il s'agit d'un établissement très «in», et mieux vaut vous vêtir en conséquence si vous ne voulez pas que les serveurs vous regardent de travers, déjà qu'ils sont passablement distants! L'atmosphère et la nourriture sont bonnes, mais les portions peuvent s'avérer quelque peu menues. À ceux qui dînent tôt, on offre gracieusement la salade, le dessert et le café à l'achat d'un plat principal.

Inaho
$$$
mar-dim
157 Main St.
Yarmouth Port
☎362-5522

Yarmouth Port, village résidentiel plutôt somnolent, s'il en est, semble peu propice à l'établissement d'un restaurant japonais, de surcroît installé dans une maison coloniale on ne peut plus Nouvelle-Angleterre. Quoi qu'il en soit, on n'hésite pas à s'y rendre pour déguster d'excellents potages au miso, sushis, sashimis, teriyakis et tempuras. Le décor, rehaussé d'œuvres artisanales et d'art populaire japonais, convient parfaitement.

Hyannis

The Prodigal Son
$
10 Ocean St.
☎771-1337
Ce petit café-bar branché voit converger gauchistes, artistes et autres citadins en mal de gloire devant un sandwich ou un rafraîchissement, et ce, toute la journée. Le décor invitant se compose de sublimes photographies en noir et blanc posées sur des murs crème, tandis qu'une musique tantôt originale tantôt plus ou moins folklorique emplit doucement l'atmosphère. Les sandwichs sont originaux et savoureux, et vous n'aurez que l'embarras du choix au moment de prendre le café.

Thai House
$$
304-306 Main St.
☎862-1616
Ce restaurant est modestement décoré d'une ribambelle de souvenirs thaïlandais et de banquettes qui ont connu de meilleurs jours, mais ne vous ne laissez pas rebuter par si peu de chose, car Nuey et son personnel élaborent tout un assortiment d'authentiques délices thaïs. Les currys jaunes, verts et rouges de fruits de mer de la région sont délicieux, à tel point que les riches habitants de Nantucket se font directement livrer leur repas par avion!

Baxter's Fish and Chips
$$-$$$
177 Pleasant St.
☎775-4490
Le Baxter, une institution de Hyannis, est un restaurant de bord de mer décontracté tout indiqué pour commander une assiette de fruits de mer cuits au four, grillés, bouillis, à l'étuvée, noircis ou, bien entendu, panés et frits. Les odeurs de friture débordent d'ailleurs jusque dans le stationnement.

Alberto's Ristorante
$$$-$$$$
360 Main St.
☎775-1770
Alberto's Ristorante est un établissement intime rehaussé de nappes blanches qui possède également une

terrasse en bordure du trottoir, façon méditerranéenne. Son menu propose un vaste assortiment de savoureux plats italiens à base de porc, d'agneau, de bœuf, de veau, de poulet, de fruits de mer et de pâtes.

Pastiche and the Blue Room
$$$-$$$$
415 Main St.
☎778-7200
Le Pastiche est un nouveau venu branché et à la mode à Hyannis. Scs serveurs en t-shirt noir moulé acheminent de la cuisine aux tables divers plats de nouvelle cuisine américaine de type fusion comprenant notamment des raviolis aux tomates séchées et au fromage, des pâtes à l'indonésienne et des tournedos à la japonaise. Vous trouverez également sur place une boîte de nuit (voir p 190).

The Roadhouse Cafe
$$$-$$$$
488 South St.
☎775-2386
Le restaurant le plus recommandé pour un fin dîner romantique à Hyannis est le Cafe. Cet invitant petit bistro-bar (voir p 190) sert des fruits de mer de la région, du bœuf, du veau, des côtelettes, des pâtes et diverses spécialités italiennes. Demandez qu'on vous installe à une table au coin du feu.

Falmouth

Laureen's
$-$$
lun-sam
170 Main St.
☎540-9104
Le Laureen est un endroit très prisé à l'heure du déjeuner pour ses merveilleux mets végétariens, méditerranéens et moyen-orientaux. Dès l'entrée, vous serez conquis par les effluves des pains de feta en train de cuire, et le hoummos est excellent.

Peking Palace
$$
452 Main St.
☎540-8204
Le Peking Palace offre un large assortiment de succulents mets mandarins, sichuanais, cantonais et polynésiens. Vous ne pouvez pas manquer ce restaurant au décor extérieur de palais on ne peut plus voyant sur Main Street.

The Flying Bridge
$$$-$$$$
220 Scranton Ave.
☎548-2700
Cet immense restaurant voisin du port engage une armée de jcunes serveurs et serveuses en saison pour apporter aux tables une pléthore de plats de pâtes et de fruits de mer (dont beaucoup sont malheureusement panés et frits). L'atmosphère est détendue,

Restaurants

et la vue sur le port de Falmouth, avec ses yachts et ses bateaux de plaisance, ne manque pas d'intérêt.

Regatta of Falmouth-by-the-Sea
$$$-$$$$
217 Clinton Ave.
☎548-5400
Ce superbe restaurant, qui offre une vue splendide sur le port de Falmouth et sur Martha's Vineyard au loin, propose une cuisine franco-américaine préparée avec amour. La salle à manger se révèle bien éclairée, et arbore un agréable décor rehaussé de pétales de rose et de porcelaine fine. Vous voudrez sans doute vous vêtir pour la circonstance, histoire de ne pas trop vous faire remarquer dans ce cadre élégant et feutré tandis que vous dégusterez votre repas, soigné et délectable à souhait. Entre 16h30 et 17h15, on offre gracieusement aux dîneurs une entrée et un dessert à l'achat d'un plat principal.

Woods Hole

Fishmonger's Café
$$-$$$
56 Water St.
☎540-5376
Le Fishmonger's Café, installé dans le port, sert de lieu de rencontre aux gens du coin, et il y règne une atmosphère chaleureuse et animée. Le menu de poulet,

de biftecks et de fruits de mer n'a rien de renversant, mais tous les plats sont savoureux et offerts à bon prix. On y trouve en outre une grande variété de plats végétariens.

Landfall
$$$-$$$$
2 Luscombe Ave.
☎548-1758
Le Landfall possède une grande salle à manger à deux pas de l'embarcadère du traversier qui va à Martha's Vineyard, et propose un menu de fruits de mer, de biftecks et de pâtes. Le midi, vous y trouverez des sandwichs, des salades et des hamburgers à moindre prix. La vue sur le port n'est pas non plus pour déplaire.

Martha's Vineyard

Vineyard Haven

M.V. Bagel Authority
$
82 Main St.
☎693-4152
Pour un petit déjeuner ou même une collation simple sur le pouce, M.V. Bagel Authority propose une douzaine de sortes de *bagels*. Gardez les yeux bien ouverts pour ne pas manquer les alléchants desserts.

Café Moxie
$$$-$$$$
fermé lun-mar
48 Main St.
☎*693-1484*
www.cafemoxie.com
Le menu du sympathique
Café Moxie ne compte que
quelques choix de plats de
viande et ou fruits de mer,
mais plusieurs entrées.
L'atmosphère de bistro fran-
çais est détendue et les
murs de la salle à manger
sont décorés de magnifi-
ques photographies en noir
et blanc.

Striper's on the water
$$$-$$$$
fermé mar-mer
52 Beach Rd.
☎*693-8383*
Tout à fait charmant, le Stri-
per's offre une vue magni-
fique sur la Vineyard Haven
Marina. Les fruits de mer
sont à l'honneur, servis sur
l'invitante terrasse extérieu-
re ou dans la salle à man-
ger. Si vous désirez vous
offrir un repas tout en étant
bercé par le bruit des va-
gues, n'hésitez pas une
seconde.

The Black Dog
$$$-$$$$
Beach St. Ext.
☎*693-9223*
www.theblackdog.com
L'atmosphère chaleureuse
du Black Dog en fait l'un
des meilleurs restaurants de
Vineyard Haven. Si vous
choisissez une table près
des fenêtres, vous aurez

l'avantage d'avoir une vue
magnifique sur le Vineyard
Haven Harbor. Petits déjeu-
ners originaux, copieux et
mémorables, et dîners éla-
borés.

Zephrus
$$$$
Main St., Tisbury Inn
☎*693-3416*
www.zephrus.com
Les couleurs vives et fraî-
ches du Zephrus et son
décor contemporain aux
touches originales lui don-
nent des airs branchés.
L'atmosphère fort agréable
se double d'un menu dont
les plats oscillent entre
viandes et fruits de mer.

Le Grenier
$$$$
96 Main St.
☎*693-4906*
www.tiac.net/users/legrenier
Surveillez le drapeau fran-
çais qui vous mènera à la
salle à manger du Grenier.
Jean Dupont, originaire de
Lyon, chef et propriétaire,
vous concocte un choix de
plus d'une vingtaine de
spécialités de son pays na-
tal. Romantique. Réserva-
tions recommandées.

Oak Bluffs

Old Stone Bakery
$
Park Ave.
☎*693-3688*
Avec son pain frais du jour,
son café odorant et ses allé-

chantes pâtisseries, l'Old Stone Bakery est l'endroit idéal pour commencer la journée ou faire une pause en fin d'après-midi. Avec sa jumelle d'Edgartown (voir ci-dessous), elle est considérée comme la meilleure boulangerie de l'île.

Nancy's
$-$$
20 Lake Ave.
☎693-0006
En plus d'un grand choix de fruits de mer à petits prix, Nancy propose des sandwichs et plats du Moyen-Orient, incluant *kebabs* et *falafels*. Immense terrasse donnant sur l'Oaks Bluffs Harbor.

Coop de Ville
$$
Dockside Market Place
☎693-3420
Petit et sympathique, le Coop de Ville s'anime grâce au sourire de Pete, le propriétaire, et au coucher de soleil qui teint le paysage. Prédominance des fruits de mer et des hamburgers; grand choix de bières.

Seasons Eatery and Pub
$$-$$$
19 Circuit Ave.
☎693-7129
L'ambiance du Seasons Eatery and Pub oscille plus vers le bar que vers le resto. Sa vaste salle, inondée de musique quelque peu forte, est hantée par les images d'une dizaine de télévisions.

Au menu, de tout : fruits de mer, steaks, pâtes, sandwichs et hamburgers.

Zapotec
$$-$$$
Kennebec Ave.
☎693-6800
L'allure extérieure du Zapotec donne le ton à son menu, fortement coloré de la chaleur du Mexique et de la cuisine du sud-ouest des États-Unis. Bien que le menu ne soit pas très étendu, ses plats sont originaux et l'atmosphère invite à la détente.

Tsunami
$$$
6 Circuit Ave. Ext.
☎696-0669
La belle maison rouge dans laquelle est installé le Tsunami attirera votre attention, à moins que ce ne soit son menu aux effluves asiatiques ou la sobriété élégante de sa décoration. Bien situé, sur l'Oak Bluffs Harbor.

Edgartown

Old Stone Bakery
$
North Water St.
☎627-5880
Tout comme la succursale d'Oak Bluffs (voir plus haut), l'Old Stone Bakery d'Edgartown vous accueille avec la bonne odeur du café, des *bagels*, *muffins* et autres pâtisseries.

Main Street Diner
$-$$
Old Post Office Sq.
☎627-9337
Avec son décor sorti tout droit des années 1950, le Main Street Diner n'est pas du tout prétentieux et loin d'être intime. Ses petits déjeuners sont superbes et le menu du dîner met l'accent sur les viandes plutôt que sur les fruits de mer. Achalandé.

Among the Flowers Café
$-$$
Mayhew Lane
☎627-3233
Sympathique petit café où il fait bon prendre le petit déjeuner (quiches ou omelettes) ou le déjeuner (salades, steak ou poulet). Among the Flowers Café mérite sa popularité : le personnel est accueillant et ses mets de qualité sont disponibles à bon prix.

Taylor's
$$$
3 Nevin Sq., en retrait de Winter St.
☎939-8403
Les prix du Taylor's figurent parmi les plus raisonnables en ville et sa salle à manger est décontractée. Le jeune chef propose une rafraîchissante et innovatrice cuisine italienne qui emprunte les parfums des Caraïbes et de l'Asie. Charmant.

Navigator Restaurant
$$$-$$$$
2 Main St.
☎627-4320
Les visiteurs en raffolent puisque le Navigator Restaurant offre une vue privilégiée sur l'Edgartown Harbor. L'établissement propose des plats aux accents de la Nouvelle-Angleterre, avec une nette prédominance des fruits de mer. Ambiance maritime.

L'étoile
$$$$
South Summer St.
☎627-4751
La salle à manger de L'étoile, aménagée dans le Charlotte Inn (voir p 158), est certainement aussi impressionnante que le prix fixe de son menu : 75$. Il va sans dire que la finesse et l'élégance de l'endroit sont exceptionnelles, de même que le raffinement des plats de nouvelle cuisine, sur fond des traditions culinaires propres à la Nouvelle-Angleterre.

Up-Island

Larsen's Fish Market
$-$$
sur les quais, Menemsha
☎645-2680
Directement du pêcheur et au prix du marché, le Larsen's Fish Market propose aux amateurs de fruits de mer de déguster homard et moules de façon frugale,

Restaurants

assis à même le sol sur les promenades qui bordent les quais. Ce n'est pas un restaurant en tant que tel, mais un comptoir de fruits de mer à emporter.

The Bite
$-$$
Basin Rd., Menemsha
☎645-9239

Un repas chez The Bite débute par la commande, qui se fait à travers une moustiquaire, avant que quelqu'un ne vous remette votre plat après avoir crié votre nom. The Bite, c'est un *clam shack* typique sans chaises ni tables, coquet comme tout. Son menu, loin d'être santé, fait fureur sur l'île. Les fruits de mer habituels sont servis frits et il ne faudrait pour rien au monde manquer sa délicieuse chaudrée de palourdes *(clam chowder)*.

Nantucket

Henry's Sandwich
$
Steamboat Wharf
☎228-0123

À deux pas du traversier, Henry's Sandwich est fort simple et sa vingtaine de choix de sandwichs à petits prix le hisse au rang des favoris locaux.

Juice Bar
$
12 Broad St.

Sans tables ni chaises, le charme du Juice Bar réside dans sa crème glacée maison, ses jus de fruits frais et ses pâtisseries odorantes. Les habitants de l'île l'adorent...

Brotherhood of Thieves
$$-$$$
23 Broad St.

Le menu du Brotherhood of Thieves propose sandwichs, salades et hamburgers. On le fréquente surtout pour son impressionnant choix de boissons alcoolisées, bières, cocktails, apéritifs et autres remontants. Cet établissement sombre est d'un romantisme fou. Extrêmement agréable.

The Tavern
$$-$$$
Harbor Sq.
☎325-0500

The Tavern est un lieu des plus vivants où une clientèle variée savoure salades, hamburgers, pâtes et fruits de mer sur une terrasse invitante en saison. La musique peut être quelque peu forte.

Rose & Crown
$$-$$$
23 South Water St.
☎228-2595

Au Rose & Crown, ambiance et nourriture de pub vous attendent. Les hamburgers ont une excellente réputation et l'endroit est un des favoris à l'heure du déjeuner. Bon choix de bières (voir p 192).

Cap'n Tobey's Chowder House
$$-$$$
Straight Wharf
☎*228-0836*

Au Cap'n Tobey's Chowder House, la décoration laisse à désirer et la musique est un peu trop forte, mais la cuisine n'en demeure pas moins savoureuse. Le menu permet de goûter plusieurs fruits de mer et l'on y retrouve les éternels steaks, pâtes et poulet, de même qu'une excellente chaudrée de palourdes et salade César.

Arno's
$$$
41 Main St.
☎*228-7001*

Le très populaire Arno's accueille ses invités dans une salle de type bistro aux murs de brique ornés de peintures. Au menu, une cuisine locale aux parfums d'ailleurs, comme ces *quesadillas* au homard ou ces currys. Malgré son allure branchée, il n'en demeure pas moins informel. Populaire pour ses petits déjeuners.

Ropewalk
$$$
One Straight Wharf
☎*228-8886*

Le Ropewalk a l'avantage d'offrir une vue imprenable sur la marina. Très tranquille, sa terrasse extérieure avec parasols est des plus agréables. Vous pourrez vous y régaler de fruits de mer, mais également de hamburgers. Habitués et vacanciers y reviennent pour toute occasion.

Schooners
$$$
Steamboat Wharf / 31 Easy St.
☎*228-5824*

Situé juste à côté du traversier, le Schooners a une ambiance *yachting* sympathique. Le menu s'appuie sur un grand choix d'entrées qui se marient bien avec la variété de bières locales ou importées. Fruits de mer et plats du jour saisonniers.

Sushi by Yoshi
$$$
2 East Chestnut St.
☎*228-1801*

Comme son nom l'indique, Sushi by Yoshi se spécialise dans les mets japonais, plus particulièrement dans les sushis. Aménagée dans une coquette maison jaune, sa petite salle à manger revêt des couleurs claires. Réservation obligatoire.

Vincent's
$$$
21 South Water St.
☎*228-0189*

Sympathique restaurant aux nappes fleuries, Vincent's vous invite à découvrir les effluves italiens qui parfu-

Restaurants

ment le poulet et les fruits de mer de même que les mets traditionnels. Grand choix de garnitures à pizza.

Cioppino's
$$$-$$$$
20 Broad St.
☎ 228-4622
www.cioppinos.com

L'agréable Cioppino's reçoit ses invités dans des salles à manger élégantes de facture classique. La cuisine continentale prend des accents italiens ou locaux, c'est selon. Impressionnante carte des vins.

Nantucket Tapas
$$$-$$$$
15 South Beach
☎ 228-2033

On se précipite au Nantucket Tapas pour l'originalité de l'expérience culinaire des quatre coins du monde qu'il propose. En fait, vous ne trouverez au menu que des entrées (lasagnes, sushis, salades) qui formeront

votre repas une fois combinées. Souvenez-vous qu'il faut au moins trois entrées pour être satisfait et que le prix de ces minuscules portions est très élévé.

Topper's at the Wauwinet
$$$$
120 Wauwinet Rd.
☎ 228-8768
www.wauwinet.com

L'élégance raffinée du Topper's s'accorde avec l'hôtel dans lequel il est installé (voir p 162). Le service est impeccable, mais vous devrez en payer le prix : le prix d'une entrée varie entre 18$ et 92$. À l'heure du déjeuner, les prix sont plus abordables, comme par exemple le *tasting menu*, qui permet de goûter à quatre mets pour 25$. Cuisine de la Nouvelle-Angleterre.

Entrez dans la danse
pendant vos vacances à Cape Cod!

Discothèques, petits cafés, théâtre, concerts et festivals, bref, vous saurez sûrement trouver chaussure à votre pied pour une soirée animée!

Bars et discothèques

Notez que l'âge légal auquel il est permis d'entrer dans les bars ou d'acheter de l'alcool est de 21 ans. Par ailleurs, ayez toujours vos cartes d'identité sur vous puisqu'aux États-Unis on peut vous les demander même si vous avez l'air d'avoir 40 ans! Certains établissements exigent des droits d'entrée, particulièrement lorsqu'il y a un spectacle.

L'Old King's Highway (de Sandwich à Orleans)

Brewster

The Woodshed
1989 Rte. 6A
☎*896-7771*
Les locaux se rassemblent au Woodshed, qui est loin

d'être tranquille. Forte musique et rock accoustique.

L'Outer Cape (d'Eastham à Provincetown)

Wellfleet

The Beachcomber of Wellfleet
droit d'entrée fins de semaine
tlj fin juin à début sept
Cahoon Hollow Rd.
☎349-6055
www.thebeachcomber.com
L'un des préférés de tout le cap, le Beachcomber est un véritable petit bijou caché dans les dunes. Une foule étudiante s'y presse joyeusement sous une forte musique ou encore les concerts d'artistes locaux. À ne pas manquer si vous êtes amateur de bars qui bougent.

Duck Creeke Tavern
mi-mai à mi-oct
70 Main St.
☎349-7369
Située dans le restaurant du même nom (voir p 144), la Duck Creeke Tavern ne manque absolument pas de charme. Du jeudi au samedi pendant la saison estivale, la douillette salle reçoit des musiciens qui la baignent de jazz, de pop ou de rythmes latinos.

Provincetown

The Atlantic House
4 Masonic Pl.
☎487-9168
À la tête des boîtes de nuit de Provincetown, l'Atlantic House propose trois ambiances sous le même toit : un *cruising*, une discothèque et un *leather bar*, ce dernier pour hommes seulement. C'est une foule bigarrée, principalement composée d'hommes, qui se presse sur la large piste de danse de l'Atlantic House et qui s'amuse une bonne partie de la nuit. Mais elle n'est pas que fête, l'Atlantic House. Construite en 1798, elle était le repaire d'Eugene O'Neil, pour lequel on a posé une plaque commémorative soulignant sa contribution au monde du théâtre. *Drag Show (5$; tlj 19h30)*.

Boatslip Bistro
3-10
en été seulement
161 Commercial St.
☎487-1669
Réputé pour ses *tea dances* qui se tiennent entre 15h30 et 18h30, animées par des DJ, le Boatslip Bistro attire tout naturellement les fêtards. Sa piscine et ses nombreuses places extérieures de même que son emplacement en front de mer y

contribuent sûrement beaucoup. Clientèle variée, principalement gay et lesbienne.

Monkey Bar
149 Commercial St.
☎487-1076
L'ambiance du sympathique Monkey Bar est à la fête avec une pléiade de cocktails différents. Clientèle variée.

The Mews & Café
429 Commercial St.
☎487-1500
www.mews.com
Quel café sympathique et rafraîchissant, isolé des musiques trop fortes et des pistes de danse! The Mews ravira ceux qui désirent sortir pour jaser entre amis et boire un petit coup. La grande sélection de vodkas est tout simplement... invitante! Clientèle variée.

Vixen
5$
336 Commercial St.
☎487-6424
Bar où prédomine la clientèle féminine, le Vixen dispose de tables de billard et d'une piste de danse. L'été apporte avec lui des comédies et des concerts, ainsi que des soirées thématiques avec DJ (*flashback*, *dance*, etc.).

Le sud du cap (de Chatham à Falmouth)

Chatham

The Chatham Squire
487 Main St.
☎945-0942
Une clientèle mixte fréquente le Chatham Squire aux murs tapissés de plaques d'immatriculation. L'établissement a des allures de pub très décontracté et animé avec un immense bar occupant presque tout l'espace.

Hyannis

Baxter's Boat House Club
fin mai à début sept tlj
au bout de Pleasant St.
☎775-4490
www.baxterboathouse.com
En quelques mots, c'est un piano-bar pour voir et être vu. Célébrités locales ou nationales, amateurs de bateaux, visiteurs de passage, bref, une clientèle variée, et argentée, qui fréquente le Baxter's Boat House Club, ayant toute l'argent en commun. La galerie arrière donne sur la marina, et l'endroit est idéal pour prendre un verre en fin d'après-midi et obser-

Sorties

ver le retour des bateaux de plaisance. Suivez la consigne de vous habiller proprement, on pourrait vous dévisager... Beaucoup d'habitués.

Duval Street Station
droit d'entrée
Yarmouth Rd.
☎775-9835

Située dans une ancienne gare ferroviaire, la Duval Street Station est le seul bar gay du cap à part ceux de Provincetown. L'endroit est fort sympathique, animé par des DJ qui font danser une foule qui veut s'amuser.

Pastiche & The Blue Room
fins de semaine, 5-10
mer-dim
415 Main St., angle Pearl St.
☎778-7200
www.pastiche-blueroom.com

Sous le thème du... bleu, The Blue Room, le bar branché de Hyannis, voit défiler sur sa superbe piste de danse dominée par un puits de lumière une clientèle dans la trentaine. Les amateurs de techno et de *dance* ne seront certes pas déçus, et les autres pourront assister à l'une des soirées thématiques de la semaine, des *live blues* du lundi aux *latin dance partys* des jeudis. Pastiche est la section resto de l'établissement (voir p 179).

Roadhouse Cafe
488 South St.
☎775-2386
www.roadhousecafe.com

Pour prendre un verre dans une atmosphère calme et chaleureuse, le Roadhouse Cafe est parfait. L'endroit se donne des airs de pub un peu sophistiqués. Musiciens de jazz sur place les lundis soir.

Sophie's Backroom
fins de semaine, 5$
fin mai à mi-oct tlj
8 Barnstable Rd.
☎775-1111

Deux fois par mois, Sophie's Backroom reçoit des groupes de musiciens le vendredi. L'endroit est populaire auprès des 21-35 ans. Un DJ anime les soirées technos et l'endroit dispose d'une piste de danse et de tables de billard.

Steamers
avr à mi-nov tlj
235 Ocean St.
☎778-0818

Ce restaurant se transforme en lieu de fête le soir venu. Pendant l'été, des groupes de musiciens locaux animent la salle qui dispose d'une petite piste de danse trois soirs par semaine. Une belle terrasse extérieure donne sur les quais de Hyannis. Clientèle de 35 ans et plus, mélange de touristes et d'habitués.

Falmouth

The British Beer Company
tlj
263 Grand Ave.
☎540-9600
Rien de mieux après une baignade à la Falmouth Heights Beach que d'aller se rafraîchir à la British Beer Company, juste en face. L'atmosphère de pub est on ne peut plus chaleureuse, surtout lorsqu'elle est rehaussée par la présence de groupes ou de chansonniers *(droit d'entrée le jeudi)*. Clientèle variée, vaste choix de bières et personnel sympathique.

Liam Maguire's Irish Pub & Restaurant
tlj
273 Main St.
☎548-0285
⇄495-1586
www.liammaguire.com
Vous reconnaîtrez ce pub aux drapeaux qui ornent sa devanture ainsi qu'à ses larges fenêtres à carreaux. La clientèle est variée et des musiciens agrémentent l'établissement de musique irlandaise à 21h tous les soirs. Vous pouvez également manger sur place.

Woods Hole

Captain Kidd
tlj
77 Water St.
☎548-5956
Le Captain Kidd est un bar populaire auprès de la jeunesse du coin, étudiants, pêcheurs ou chercheurs. La pièce sombre et toute de bois vêtue, qui abrite également un restaurant, est dominée par la thématique maritime. Une terrasse à l'arrière donne sur Eel Pond. On y discute plus que l'on y danse, assis au long bar ou sur un des barils qui tient lieu de siège.

Shuckers
fins de semaine
91 Water St.
☎540-3850
Avec sa terrasse qui donne sur Eel Pond, Shuckers attire une clientèle jeune qui vient discuter sous des airs reggae, rock ou live.

Martha's Vineyard

Vineyard Haven est une ville «sèche», en ce qu'on n'y sert aucune boisson alcoolisée.

Sorties

The Ritz Cafe
1 Circuit Ave., Oak Bluffs
☎693-9851
Le Ritz Cafe jouit d'une
certaine popularité auprès
des insulaires, et présente
souvent des musiciens de
blues. Il s'agit d'un bon
endroit pour côtoyer les
marins du coin et les en-
tendre ruminer les potins de
l'heure.

Atlantic Connection
Circuit Ave., Oak Bluffs
☎693-7129
Une boîte dansante où la
basse résonne à fond et où
les lumières ne cessent de
clignoter. Des formations en
visite dans la région s'y
produisent souvent.

The Boathouse Bar
mai à oct
2 Main St., Edgartown
☎627-4320
En été, le Boathouse Bar
s'emplit de touristes, qui en
apprécient sans doute le
décor de hutte à la *Gilligan's
Island*. Une formation locale
de jazz et de blues monte
sur scène les fins de se-
maine.

The Wharf Pub
Lower Main St., Edgartown
☎627-9966
Ce rendez-vous local est un
bon endroit à visiter pour
ceux et celles qui tentent de
passer pour autre chose
que des touristes. Son long
bar accueille des clients à
toute heure du jour (ou
presque), et son téléviseur

ne présente tout l'été que
des matchs des Red Sox de
Boston (équipe de base-
ball).

Hot Tin Roof
saisonnier
Martha's Vineyard Airport
☎693-1137
Le Hot Tin Roof mérite
indéniablement un détour
dans la mesure où des artistes connus s'y produisent
régulièrement et où l'on ne
cesse d'apercevoir des
célébrités dans la foule.

Nantucket

La plupart des restaurants
de Nantucket se transfor-
ment en bars ou en boîtes
de nuit le soir venu.

The Brotherhood of Thieves
11h30 à 0h30
23 Broad St.
Cette institution de Nantucket s'emplit de touristes au
cours de la saison estivale,
et d'habitants de la région
en basse saison. Il s'agit
d'une taverne à l'ancienne,
sombre et authentique, qui
regorge d'atmosphère. Des
musiciens de blues et de
bluegrass, de la région ou
en visite, s'y produisent
régulièrement.

The Rose and Crown
11h30 à la fermeture
23 S. Water St.
Le Rose and Crown est un
pub animé et accueillant
qui présente des spectacles

sur scène tous les soirs. La
carte des bières y est très
complète.

Activités culturelles

L'Old King's Highway (de Sandwich à Orleans)

Dennis

Christine's
droit d'entrée
tlj en été
581 Rte. 28, West Dennis
☎394-7333
La saison estivale amène
avec elle sa horde de gros
noms à la salle de spectacle
de 300 places du Chris-
tine's. Surveillez de près
l'horaire, Chubby Checker
s'y est déjà produit...

Le **Cape Playhouse** *(820
Rte. 6A, ☎385-3911 ou 877-
385-3911)*, un des plus
anciens théâtres d'été professionnels aux États-Unis,
propose une programma-
tion de choix pour les
«grands», tandis que le **Cape
Playhouse Children's Theater**
présente plusieurs pièces
qui feront briller les yeux
des enfants.

Brewster

Ceux qui ne jurent que par
les grands classiques se
réjouiront du répertoire que
propose le **Cape Rep Theatre**
*(Rte. 6, East Brewster, ☎896-
1888, www.caperep.org)*.

Orleans

**The Academy of Performing
Arts** *(120 Main St., ☎255-
1963, www.apa1.org)* se
produit au Orleans Town
Hall. Elle présente chaque
année une dizaine de piè-
ces de théâtre et des concerts, de même que du
théâtre pour enfants.

L'Outer Cape (d'Eastham à Provincetown)

Eastham

First Encounter Coffee House
Samoset Rd.
☎255-5438
Aménagé dans une église
datant de 1899, ce popu-
laire établissement attire des
noms conn... ...entaine
de person...
ter aux sp...
tiennent l...
quatrièm...
chaque r...
d'avoir v...

Sorties

Provincetown

Le **Provincetown Repertory Theater** (☎487-0600) produit ses pièces empreintes de l'esprit local au Pilgrim Monument et Provincetown Museum.

Assurez-vous de jeter un coup d'œil à l'horaire du **Provincetown Art Association and Museum** (☎487-1750) qui organise toutes sortes d'activités à caractère culturel.

Le sud du cap (de Chatham à Falmouth)

Hyannis

La **Cape Cod Melody Tent** (*West Main St./West End Rotary*, ☎775-5630) abrite des spec-

tacles dont les billets se vendent rapidement. En plus de recevoir des grands noms du monde du spectale tout au long de la période estivale, il devient un ᵉâtre pour enfants chaque ᵉdi matin.

The Barnstable Performing Arts Center (*744 W. Main St., ☎362-1111, www.capesymphony.org*) propose au public les concerts du Cape Symphony Orchestra.

Falmouth

Les performances de la **College Light Opera Company** (☎548-0668) sont toujours attendues avec impatience; il faut réserver sa place à l'avance si l'on veut assister à l'une des représentations de style Broadway. La troupe se produit au Highfield Theatre (*Depot Ave.*, ☎548-0668).

Martha's Vineyard

The Vineyard Playhouse
17,50$-27,50$
24 Church St., Vineyard Haven
☎**693-6450**
www.vineyardplayhouse.org
Cette petite compagnie théâtrale communautaire, et sans but lucratif, propose une grande variété de spectacles tout au long de l'année. Les représentations ont lieu dans un ancien temple méthodiste construit en 1833.

Nantucket

Actors Theatre of Nantucket
juin à sept
église méthodiste, 2 Centre St.
☎228-6325
L'Actors Theatre of Nantucket est une troupe de théâtre professionnelle qui se produit tout l'été, son répertoire allant des comédies improvisées aux drames les plus sérieux.

Festivals

Avril

Daffodil Festival
fin avr
Nantucket
☎228-1700
Dans le cadre de cette célébration printanière, plus de trois millions de jonquilles transforment la campagne de Nantucket en un tapis jaune vif. Défilé de voitures classiques et anciennes, et nombreuses activités familiales.

Juin

Provincetown Portuguese Festival
☎487-9638
Festival portugais de Provincetown : parade, artisanat, activités pour enfants, musique.

Sorties

Annual Blessing of the Fleet
☎487-3424
Bénédiction annuelle de la
flotte à Provincetown.

Juillet

Hyannis Harbor Festival
Bismore Park, Ocean St.
☎775-2201
Parade de bateaux, feux
d'artifice.

Edgartown Regatta
mi-juil
Martha's Vineyard
☎627-4364
Edgartown se targue d'être
le centre par excellence de
la navigation de plaisance
en Nouvelle-Angleterre, et,
le temps d'une fin de se-
maine en juillet, son port
s'emplit de bateaux à faire
rêver, perpétuant ainsi une
tradition qui date déjà de 80
ans.

Septembre

**Harwich Cranberry Harvest
Festival**
☎432-6389
☎800-441-3199
Différentes célébrations
autour de la thématique de
ce fruit célèbre qu'est la
canneberge.

Nantucket Noel
déc
☎228-1700
Il est fortement recommandé de visiter Nantucket
durant la saison des fêtes,
lorsque les vieilles maisons
de capitaine se font encore
plus belles pour l'occasion.
Tout au long du mois, on
peut assister à des représentations théâtrales, à des
expositions de circonstance
et à des défilés on ne peut
plus populaires.

Achats

Avec cet environnement naturel exceptionnel, Cape Cod, Martha's Vineyard et Nantucket ont su depuis fort longtemps développer un artisanat original utilisant ses richesses.

Mais les amateurs de magasinage trouveront ici beaucoup plus que de l'artisanat, puisque le tourisme aisé a bien entendu entraîné l'ouverture de nombre de boutiques de luxe aux trésors multiples.

L'Old King's Highway (de Sandwich à Orleans)

La **Route 6A** est réputée pour ses boutiques d'antiquités. De Sandwich à Brewster, elles sont nettement prédominantes et vous y trouverez de tout, à prix de connaisseur. Les chasseurs d'aubaines seront déçus, mais les fouineurs raffoleront de ce tronçon historique. Laissez-vous tenter par les boutiques qui attirent votre regard, et bonne chasse aux antiquités!

L'Outer Cape (d'Eastham à Provincetown)

Truro

The Whitman House Quilt Shop
US 6
North Truro
☎ *487-3204*

Suite à une visite qu'elle rendit à une dame amish, et à un premier achat d'une trentaine de courtepointes, Maxine Rice ouvrit sa boutique. Plus d'une centaine de courtepointes, toutes faites à la main par des femmes amish, y sont disponibles.

Provincetown

Berta Walker Gallery
208 Bradford St.
☎487-6411
La Berta Walker Gallery, splendidement aménagée et aérée, présente des œuvres d'artistes contemporains de grand talent, ainsi que de créateurs locaux, toutes époques confondues.

Vous trouverez de délicieux bonbons à l'eau salée et pas moins de 12 types de *fudge* chez **Cabot's Candy** *(276 Commercial St., ☎487-3550)*. Son voisin d'en face, **The Penney Patch** *(279 Commercial St., ☎487-2766)*, de taille un peu plus modeste, est tout aussi alléchant.

Center for Coastal Studies Gift Shop
MacMillan Wharf
☎487-6115
Boutique de souvenirs reliés aux mammifères marins qui font la fierté de Provincetown. Les profits sont directement versés aux recherches menées par le Center for Coastal Studies.

Marine Specialties
235 Commercial St.
☎487-1730
Si vous n'avez besoin de rien, sans doute que Marine Specialties saura vous créer les besoins les plus fous. Vêtements usagés pour hommes et femmes, vêtements défectueux avec défauts très abordables (pantalons 13-20) et objets hétéroclites neufs ou usagés : articles de cuisine, couvertures de laine, boîtes de métal et ustensiles de compagnies aériennes.

Moda Fina
349 Commercial St.
☎487-MODA
Les vêtements pour femme originaux et de qualité de Moda Fina raviront les amateures de mode. La lingerie, les chaussettes, les accessoires de même que les vêtements sont dispendieux, mais tellement mignons.

Passions Gallery
336 Commercial St., Suites 4-5
☎487-5740
www.passionsgallery.com
Enfin une galerie d'art originale où l'on sent l'amour sous toutes ses formes, dans des sculptures sensuelles ou des photographies originales, dans les peintures ou dans le sourire de la propriétaire. Ici, pas d'art poussiéreux d'un terne réalisme.

Rice/Pollack Gallery
430 Commercial St.
☎ *487-1052*
www.ricepollackgallery.com
On retrouve ici du travail de qualité, photos, sculptures et huiles, à prix élevés.

Tiffany Lamp Studio
371 Commercial St.
☎ *487-1101*
Cette boutique-atelier est très dépouillée, ne laissant place qu'aux chefs-d'œuvre créées par Stephen Donnelly, des lampes Tiffany à motifs de fleurs, de libellules ou simplement chaudement colorées. Ce travail magnifique se paie entre 850$ et 5 000$ pièce. Restauration de lampes Tiffany anciennes, reproduction et création sur demande.

The Clibbon Gallery
427 Commercial St.
☎ *487-4030*
Galerie sans prétention, la Clibbon Gallery expose les photographies et le travail original de Robert Clibbon et les pastels de Melyssa Bearse. Œuvres à prix abordables et artistes au travail.

Toys of Eros
200 Commercial St.
☎ *487-0056*
www.toysoferos.com
Toys of Eros est une boutique érotique saine qui n'a rien de vulgaire ni de grossier. On y trouve des objets de qualité à thématique sexuelle, comme des livres, des condoms et des photo-graphies de nus en noir et blanc. Les accessoires en cuir sont... garantis à vie!

Le sud du cap (de Chatham à Falmouth)

Chatham

On dit des boutiques de Chatham qu'elles sont raffinées et que le magasinage promet de belles surprises. Vêtements de qualité, artisanat original, cadeaux et galeries se côtoient sur une Main Street animée, certainement l'une des artères commerciales les plus agréables de Cape Cod.

Chatham Jewelers
532 Main St.
☎ *945-0690 ou 800-535-GEMS*
www.chatgems.com
Queues de baleines, coquillages, poissons, bref, vous trouverez toutes sortes de pendentifs à thématique marine! Bijoux de qualité, en or; créations sur mesure.

Pour des souvenirs ou des cadeaux sortis directement du palais de Neptune, **Mermaids on Main** *(410 Main St.,* ☎ *945-3179)* et **Sea Style** *(416 Main St.,* ☎ *945-9205)* proposent de l'artisanat inspiré des trésors et des légendes océaniques.

Pour des œuvres artisanales de qualité et, surtout, originales, deux boutiques se distinguent. **Yankee Ingenuity** *(525 Main St., ☎945-1288 ou 888-945-9123)*, où heureusement – ou malheureusement – toutes les pièces sont assez petites pour être transportées facilement dans les bagages... Artisanat local de qualité, magnifique travail sur verre et photographies de Chatham. La **Wayside Gallery Too** *(442 Main St., ☎945-6475)* est parsemée d'œuvres dont on tombe facilement amoureux.

Yellow Umbrella Books
501 Main St.
☎945-0144 ou 800-471-0144
www.shopchatham/
yellowumbrella
Boutique de livres neufs ou usagés fort agréable. Vaste choix de livres sur Cape Cod et les îles.

Harwich

Cape Cod Braided Rug Co.
537 Rte. 28, Port Centre Building,
Harwich Port
☎432-3133 ou 888-784-4581
www.capecodbraidedrug.com
Si vous mourez d'envie de vous procurer l'un de ces magnifiques tapis tressés qui ornent nombre de chambres à Cape Cod et partout au Massachusetts, la Cape Cod Braided Rug Company propose des centaines de ces tapis colo-rés dont le prix varie entre 200$ et 500$.

Hyannis

La Route 28 est bordée de mini-centres commerciaux. Vous y trouverez de tout, sauf des galeries d'art et des boutiques d'artisanat. Le plus populaire du coin est le **Cape Cod Mall** *(angle Rte. 132 et Rte. 28, ☎771-0200)*. Le plus grand centre commercial de Cape Cod compte plus de 120 magasins ainsi que plusieurs comptoirs de restauration rapide et un cinéma multisalles. Vêtements pour homme et femme, objets décoratifs, etc.

Pour des boutiques avec un cachet plus artistique ou sophistiqué, la **Main Street** de Hyannis répondra sûrement à vos attentes. Vêtements pour la plage, œuvres d'art, boutiques d'importation, sculptures africaines ou cartes postales et chandails-souvenirs : les adeptes du magasinage seront comblés. Et si vous avez besoin d'un livre pour la plage, **Tim's Books** *(386 Main St., ☎778-5550)* tapisse ses murs de bouquins usagés.

Falmouth

Queen's Byway *(angle Rte. 28 et Palmer Ave.)* est un petit centre commercial qui abrite quelques boutiques d'antiquités et de cadeaux. Parmi elles, **Oolala** *(104 Palmer Ave.,* ☎*495-2888)* est une boutique de cadeaux colorés qui n'a rien du magasin traditionnel. Sous des airs de musique de jazz ou de techno, chandelles, savons et bijoux originaux sont au rendez-vous. La boutique soutient les artistes locaux et même internationaux.

Martha's Vineyard

À Vineyard Haven, nombre de boutiques et galeries émaillent Main Street. À Oak Bluffs, la principale artère commerciale, Circuit Avenue, est à ne pas manquer. Quant à Edgartown, elle possède la plus forte concentration de galeries haut de gamme et de magasins exclusifs des îles sur Winter Street.

Bramhall & Dunn
23 Main St.
Vineyard Haven
☎**693-6437**
Ce magasin possède une belle collection de tapis, carpettes et nappes faits main. Vous y trouverez aussi d'attrayants plats peints à la main.

The Gypsy's Suitcase
oct à mai
frappez à la porte
94 Main St.
Vineyard Haven
☎**696-0396**
Dans cette pittoresque petite maison en bardeaux de Main Street, on vend des cadeaux asiatiques, y compris des bijoux provenant de Bali et de l'Inde.

Glimpse of Tibet
mai à oct
150 Main St.
Oak Bluffs
☎**693-9795**
Ce petit commerce tient des carpettes, des livres, de l'artisanat et des enregistrements musicaux authentiques du Tibet, sans oublier une étonnante collection de vêtements traditionnels.

The Christina Gallery
avr à déc tlj 10h à 18h, jan à mar sam-dim
32 N. Water St.
Edgartown
☎**627-8794**
www.christina.com
La Christina Gallery recèle une impressionnante collection d'œuvres signées par des artistes aussi bien locaux qu'internationaux. Cela dit, vous ne risquez guère d'y acheter quoi que ce soit, à moins d'être disposé à payer entre 1 000$ et 9 000$ pour l'objet qui vous intéresse. Tout de même à voir.

Achats

Les paniers de bateau-phare

En 1819, le Congrès des États-Unis autorisa la construction de bateaux-phares, soit des feux de navigation flottants destinés à indiquer l'emplacement des hauts fonds dangereux aux marins de passage. En 1828, le premier de ces bateaux fut posté dans le détroit de Nantucket.

Le bateau en question marquait l'emplacement d'un des passages les plus périlleux de la côte Atlantique à l'intention des navires se rendant à New York en provenance de l'Atlantique Nord. Les pêcheurs de baleines à la retraite qui assuraient la garde sur ce bateau se trouvaient souvent isolés de leurs semblables pendant des mois, si bien que, pour tromper l'ennui, ils adoptèrent un passe-temps pour le moins inusité pour des marins de carrière, soit la vannerie.

Au cours de l'été, ils rassemblaient le matériel nécessaire (du bois et du rotin), et, l'hiver venu, lors des longs mois passés dans le froid et la solitude à bord de leur bateau, ils tissaient le rotin autour d'un moule préfabriqué pour en faire des paniers de forme ronde ou ovale. Puis, lorsqu'ils revenaient à terre, ils vendaient leurs créations aux habitants de Nantucket, d'où le nom de «paniers de bateau-phare» qui subsiste à ce jour. Dans les années 1870 et 1880, les touristes se rendaient déjà en grand nombre à Nantucket, et ces paniers devinrent d'emblée les souvenirs les plus prisés de l'île, ce qu'ils sont restés jusqu'à nos jours.

Allen Farm Sheep and Wool Company
oct à mai sur rendez-vous
421 South Rd., Chilmark
☎*645-9064*

La famille Allen exploite sa ferme d'élevage du haut de l'île depuis plus de 250 ans, et tient un petit commerce où vous trouverez des couvertures, des chandails et d'autres articles en laine d'une qualité exceptionnelle. Les moutons qui produisent sont élevés et tondus sur place, et la laine en est filée de manière à lui conserver son aspect naturel. Le résultat est tout simplement formidable.

Nantucket

À Nantucket, vous pourriez très bien passer tout votre temps à faire des achats. Les rues et les quais en sont en effet bordés de boutiques d'antiquaires, de commerces variés et de galeries aussi attirantes que chères, et la plupart de ces établissements s'adressent visiblement à une clientèle cherchant à tout prix à ramener des souvenirs exclusifs de l'île.

Quant à vous, si c'est le lèche-vitrines qui vous intéresse d'abord et avant

tout, vous serez comblé à peu près partout.

The Lightship Shop
20 Miacomet Ave.
☎*228-4164*

Un panier de bateau-phare (voir encadré) constitue sans doute le souvenir de Nantucket le plus authentique que vous puissiez trouver. Dick et Donna Cifranic ont appris à maîtriser les règles les plus strictes qui régissent la fabrication artisanale de ces objets, et cela fait déjà 15 ans qu'ils écoulent leur production à cette adresse.

Four Winds Craft Guild
4 India St.
☎*228-8509*
www.sylviaantiques.com

Simplement connu sous le nom de «The Guild», cet établissement expose les œuvres des artisans de Nantucket depuis 1948. On y trouve d'ailleurs de véritables trésors, notamment des paniers de bateau-phare, de l'ivoire sculpté et gravé, ainsi que des objets d'art populaire.

Lexique

PRÉSENTATIONS

Salut!	*Hi!*
Comment ça va?	*How are you?*
Ça va bien	*I'm fine*
Bonjour (la journée)	*Hello*
Bonsoir	*Good evening/night*
Bonjour, au revoir,	*Goodbye,*
à la prochaine	*See you later*
Oui	*Yes*
Non	*No*
Peut-être	*Maybe*
S'il vous plaît	*Please*
Merci	*Thank you*
De rien, bienvenue	*You're welcome*
Excusez-moi	*Excuse me*
Je suis touriste	*I am a tourist*
Je suis Américain(e)	*I am American*
Je suis Canadien(ne)	*I am Canadian*
Je suis Allemand(e)	*I am German*
Je suis Italien(ne)	*I am Italian*
Je suis Belge	*I am Belgian*
Je suis Français(e)	*I am French*
Je suis Suisse	*I am Swiss*
Je suis désolé(e), je ne	*I am sorry, I don't speak*
parle pas anglais	*English*
Parlez-vous français?	*Do you speak French?*
Plus lentement, s'il vous	*Slower, please*
plaît	
Comment vous appelez-	*What is your name?*
vous?	
Je m'appelle...	*My name is...*
époux(se)	*spouse*
frère, sœur	*brother, sister*
ami(e)	*friend*
garçon	*son, boy*
fille	*daughter, girl*
père	*father*
mère	*mother*
célibataire	*single*
marié(e)	*married*
divorcé(e)	*divorced*
veuf(ve)	*widower/widow*

DIRECTION

Est-ce qu'il y a un bureau de tourisme près d'ici?	*Is there a tourist office near here?*
Il n'y a pas de..., nous n'avons pas de...	*There is no..., we have no...*
Où est le/la ...?	*Where is...?*

tout droit	*straight ahead*
à droite	*to the right*
à gauche	*to the left*
à côté de	*beside*
près de	*near*
ici	*here*
là, là-bas	*there, over there*
à l'intérieur	*into, inside*
à l'extérieur	*outside*
loin de	*far from*
entre	*between*
devant	*in front of*
derrière	*behind*

POUR S'Y RETROUVER SANS MAL

aéroport	*airport*
à l'heure	*on time*
en retard	*late*
annulé	*cancelled*
l'avion	*plane*
la voiture	*car*
le train	*train*
le bateau	*boat*
la bicyclette, le vélo	*bicycle*
l'autobus	*bus*
la gare	*train station*
un arrêt d'autobus	*bus stop*
L'arrêt, s'il vous plaît	*The bus stop, please*
rue	*street*
avenue	*avenue*
route, chemin	*road*
autoroute	*highway*
rang	*rural route*
sentier	*path, trail*
coin	*corner*
quartier	*neighbourhood*
place	*square*

bureau de tourisme	*tourist office*
pont	*bridge*
immeuble	*building*
sécuritaire	*safe*
rapide	*fast*
bagages	*baggage*
horaire	*schedule*
aller simple	*one way ticket*
aller-retour	*return ticket*
arrivée	*arrival*
retour	*return*
départ	*departure*
nord	*north*
sud	*south*
est	*east*
ouest	*west*

LA VOITURE

à louer	*for rent*
un arrêt	*a stop*
autoroute	*highway*
attention	*danger, be careful*
défense de doubler	*no passing*
stationnement interdit	*no parking*
impasse	*no exit*
arrêtez!	*stop!*
stationnement	*parking*
piétons	*pedestrians*
essence	*gas*
ralentir	*slow down*
feu de circulation	*traffic light*
station-service	*service station*
limite de vitesse	*speed limit*

L'ARGENT

banque	*bank*
caisse populaire	*credit union*
change	*exchange*
argent	*money*
Je n'ai pas d'argent	*I don't have any money*
carte de crédit	*credit card*
chèques de voyage	*traveller's cheques*
L'addition, s'il vous plaît	*The bill please*
reçu	*receipt*

L'HÉBERGEMENT

auberge	*inn*
auberge de jeunesse	*youth hostel*
chambre d'hôte, logement chez l'habitant	*bed and breakfast*
eau chaude	*hot water*
climatisation	*air conditioning*
logement, hébergement	*accommodation*
ascenseur	*elevator*
toilettes, salle de bain	*bathroom*
lit	*bed*
déjeuner	*breakfast*
gérant, propriétaire	*manager, owner*
chambre	*bedroom*
piscine	*pool*
étage	*floor (first, second...)*
rez-de-chaussée	*main floor*
haute saison	*high season*
basse saison	*off season*
ventilateur	*fan*

LE MAGASIN

ouvert(e)	*open*
fermé(e)	*closed*
C'est combien?	*How much is this?*
Je voudrais...	*I would like...*
J'ai besoin de...	*I need...*
un magasin	*a store*
un magasin à rayons	*a department store*
le marché	*the market*
vendeur(se)	*salesperson*
le/la client(e)	*the customer*
acheter	*to buy*
vendre	*to sell*
un t-shirt	*T-shirt*
une jupe	*skirt*
une chemise	*shirt*
un jeans	*jeans*
un pantalon	*pants*
un blouson	*jacket*
une blouse	*blouse*
des souliers	*shoes*
des sandales	*sandals*
un chapeau	*hat*
des lunettes	*eyeglasses*

un sac	*handbag*
cadeaux	*gifts*
artisanat local	*local crafts*
crèmes solaires	*sunscreen*
cosmétiques et parfums	*cosmetics and perfumes*
appareil photo	*camera*
pellicule	*film*
disques, cassettes	*records, cassettes*
journaux	*newspapers*
revues, magazines	*magazines*
piles	*batteries*
montres	*watches*
bijouterie	*jewellery*
or	*gold*
argent	*silver*
pierres précieuses	*precious stones*
tissu	*fabric*
laine	*wool*
coton	*cotton*
cuir	*leather*

DIVERS

nouveau	*new*
vieux	*old*
cher, dispendieux	*expensive*
pas cher	*inexpensive*
joli	*pretty*
beau	*beautiful*
laid(e)	*ugly*
grand(e)	*big, tall*
petit(e)	*small, short*
court(e)	*short*
bas(se)	*low*
large	*wide*
étroit(e)	*narrow*
foncé	*dark*
clair	*light*
gros(se)	*fat*
mince	*slim, skinny*
peu	*a little*
beaucoup	*a lot*
quelque chose	*something*
rien	*nothing*
bon	*good*
mauvais	*bad*
plus	*more*

moins	less
ne pas toucher	do not touch
vite	quickly
lentement	slowly
grand	big
petit	small
chaud	hot
froid	cold
Je suis malade	I am ill
pharmacie	pharmacy, drugstore
J'ai faim	I am hungry
J'ai soif	I am thirsty
Qu'est-ce que c'est?	What is this?
Où?	Where?

LA TEMPÉRATURE

pluie	rain
nuages	clouds
soleil	sun
Il fait chaud	It is hot out
Il fait froid	It is cold out

LE TEMPS

Quand?	When?
Quelle heure est-il?	What time is it?
minute	minute
heure	hour
jour	day
semaine	week
mois	month
année	year
hier	yesterday
aujourd'hui	today
demain	tomorrow
le matin	morning
l'après-midi	afternoon
le soir	evening
la nuit	night
maintenant	now
jamais	never
dimanche	Sunday
lundi	Monday
mardi	Tuesday
mercredi	Wednesday
jeudi	Thursday

vendredi	*Friday*
samedi	*Saturday*
janvier	*January*
février	*February*
mars	*March*
avril	*April*
mai	*May*
juin	*June*
juillet	*July*
août	*August*
septembre	*September*
octobre	*October*
novembre	*November*
décembre	*December*

LES COMMUNICATIONS

bureau de poste	*post office*
par avion	*air mail*
timbres	*stamps*
enveloppe	*envelope*
bottin téléphonique	*telephone book*
appel outre-mer, interurbain	*long distance call*
appel à frais virés (PCV)	*collect call*
télécopieur, fax	*fax*
télégramme	*telegram*
tarif	*rate*
composer l'indicatif régional	*dial the area code*
attendre la tonalité	*wait for the tone*

LES ACTIVITÉS

la baignade	*swimming*
plage	*beach*
la plongée sous-marine	*scuba diving*
la plongée-tuba	*snorkelling*
la pêche	*fishing*
navigation de plaisance	*sailing, pleasure-boating*
la planche à voile	*windsurfing*
faire du vélo	*bicycling*
vélo tout-terrain (VTT)	*mountain bike*
équitation	*horseback riding*
la randonnée pédestre	*hiking*
se promener	*to walk around*

musée	*museum, gallery*
centre culturel	*cultural centre*
cinéma	*cinema*

TOURISME

fleuve, rivière	*river*
chutes	*waterfalls*
belvédère	*lookout point*
colline	*hill*
jardin	*garden*
réserve faunique	*wildlife reserve*
péninsule, presqu'île	*peninsula*
côte sud/nord	*south/north shore*
hôtel de ville	*town or city hall*
palais de justice	*court house*
église	*church*
maison	*house*
manoir	*manor*
pont	*bridge*
bassin	*basin*
barrage	*dam*
atelier	*workshop*
lieu historique	*historic site*
gare	*train station*
écuries	*stables*
couvent	*convent*
porte	*door, archway, gate*
douane	*customs house*
écluses	*locks*
marché	*market*
canal	*canal*
chenal	*channel*
voie maritime	*seaway*
cimetière	*cemetery*
moulin	*mill*
moulin à vent	*windmill*
école secondaire	*high school*
phare	*lighthouse*
grange	*barn*
chute(s)	*waterfall(s)*
batture	*sandbank*
faubourg	*neighbourhood, region*

Lexique

GASTRONOMIE

pomme	*apple*
bœuf	*beef*
pain	*bread*
beurre	*butter*
chou	*cabbage*
fromage	*cheese*
poulet	*chicken*
maïs	*corn*
palourde	*clam*
crabe	*crab*
œuf	*egg*
poisson	*fish*
fruits	*fruits*
jambon	*ham*
agneau	*lamb*
homard	*lobster*
huître	*oyster*
viande	*meat*
lait	*milk*
noix	*nut*
pomme de terre	*potato*
pétoncle	*scallop*
langouste	*scampi*
fruits de mer	*seafood*
crevette	*shrimp*
calmar	*squid*
dinde	*turkey*
légumes	*vegetables*
eau	*water*

Les nombres

1	*one*
2	*two*
3	*three*
4	*four*
5	*five*
6	*six*
7	*seven*
8	*eight*
9	*nine*
10	*ten*
11	*eleven*
12	*twelve*
13	*thirteen*
14	*fourteen*
15	*fifteen*
16	*sixteen*
17	*seveteen*
18	*eighteen*
19	*nineteen*
20	*twenty*
21	*twenty-one*
22	*twenty-two*
23	*twenty-three*
24	*twenty-four*
25	*twenty-five*
26	*twenty-six*
27	*twenty-seven*
28	*twenty-eight*
29	*twenty-nine*
30	*thirty*
31	*thirty-one*
32	*thiry-two*
40	*fourty*
50	*fifty*
60	*sixty*
70	*seventy*
80	*eighty*
90	*ninety*
100	*one hundred*
200	*two hundred*
500	*five hundred*
1 000	*one thousand*
10 000	*ten thousand*
1 000 000	*one million*

Index

Index

Index

Index

Bon de commande Ulysse

Guides de voyage

☐	Abitibi-Témiscamingue et Grand Nord	22,95 $	135 FF
☐	Acapulco	14,95 $	89 FF
☐	Arizona et Grand Canyon	24,95 $	145 FF
☐	Bahamas	24,95 $	129 FF
☐	Belize	16,95 $	99 FF
☐	Boston	17,95 $	89 FF
☐	Calgary	16,95 $	99 FF
☐	Californie	29,95 $	129 FF
☐	Canada	29,95 $	129 FF
☐	Cancún et la Riviera Maya	19,95 $	99 FF
☐	Cape Cod – Nantucket – Martha's Vineyard	17,95 $	89 FF
☐	Carthagène (Colombie)	12,95 $	70 FF
☐	Charlevoix – Saguenay – Lac-Saint-Jean	22,95 $	135 FF
☐	Chicago	19,95 $	99 FF
☐	Chili	27,95 $	129 FF
☐	Colombie	29,95 $	145 FF
☐	Costa Rica	27,95 $	129 FF
☐	Côte-Nord – Duplessis – Manicouagan	22,95 $	135 FF
☐	Cuba	24,95 $	129 FF
☐	Cuisine régionale au Québec	16,95 $	99 FF
☐	Disney World	19,95 $	135 FF
☐	El Salvador	22,95 $	145 FF
☐	Équateur – Îles Galápagos	24,95 $	129 FF
☐	Floride	29,95 $	129 FF
☐	Gaspésie – Bas-Saint-Laurent – Îles-de-la-Madeleine	22,95 $	99 FF
☐	Gîtes et Auberges du Passant au Québec	14,95 $	89 FF
☐	Guadalajara	17,95 $	89 FF
☐	Guadeloupe	24,95 $	99 FF
☐	Guatemala	24,95 $	129 FF
☐	Haïti	24,95 $	145 FF
☐	Hawaii	29,95 $	129 FF
☐	Honduras	24,95 $	129 FF
☐	Hôtels et bonnes tables du Québec	17,95 $	89 FF
☐	Huatulco et Puerto Escondido	17,95 $	89 FF
☐	Jamaïque	24,95 $	129 FF
☐	La Havane	16,95 $	79 FF
☐	La Nouvelle-Orléans	17,95 $	99 FF
☐	Las Vegas	17,95 $	89 FF
☐	Lisbonne	18,95 $	79 FF
☐	Louisiane	29,95 $	129 FF
☐	Los Angeles	19,95 $	99 FF
☐	Los Cabos et La Paz	14,95 $	89 FF

Guides de voyage

☐	Martinique	24,95 $	99 FF
☐	Miami	18,95 $	99 FF
☐	Montréal	19,95 $	99 FF
☐	Montréal pour enfants	19,95 $	117 FF
☐	New York	19,95 $	99 FF
☐	Nicaragua	24,95 $	129 FF
☐	Nouvelle-Angleterre	29,95 $	129 FF
☐	Ontario	27,95 $	129 FF
☐	Ottawa – Hull	14,95 $	89 FF
☐	Ouest canadien	29,95 $	129 FF
☐	Ouest des États-Unis	29,95 $	129 FF
☐	Panamá	24,95 $	139 FF
☐	Pérou	27,95 $	129 FF
☐	Phoenix	16,95 $	89 FF
☐	Plages du Maine	12,95 $	70 FF
☐	Porto	17,95 $	79 FF
☐	Portugal	24,95 $	129 FF
☐	Provence – Côte d'Azur	29,95 $	99 FF
☐	Provinces atlantiques du Canada	24,95 $	129 FF
☐	Puerto Plata – Sosua	14,95 $	69 FF
☐	Puerto Rico	24,95 $	139 FF
☐	Puerto Vallarta	14,95 $	99 FF
☐	Le Québec	29,95 $	129 FF
☐	Québec et Ontario	29,95 $	129 FF
☐	République dominicaine	24,95 $	129 FF
☐	Saint-Martin – Saint-Barthélemy	16,95 $	89 FF
☐	San Diego	17,95 $	89 FF
☐	San Francisco	17,95 $	99 FF
☐	Seattle	17,95 $	99 FF
☐	Toronto	18,95 $	99 FF
☐	Tunisie	27,95 $	129 FF
☐	Vancouver	17,95 $	89 FF
☐	Venezuela	29,95 $	129 FF
☐	Ville de Québec	17,95 $	89 FF
☐	Washington, D.C.	19,95 $	99 FF

Espaces verts

☐	Cyclotourisme au Québec	22,95 $	99 FF
☐	Cyclotourisme en France	22,95 $	99 FF
☐	Motoneige au Québec	22,95 $	99 FF
☐	Le Québec cyclable	19,95 $	99 FF
☐	Le Québec en patins à roues alignées	19,95 $	99 FF
☐	Randonnée pédestre Montréal et environs	19,95 $	129 FF
☐	Randonnée pédestre Nord-Est des États-Unis	22,95 $	129 FF
☐	Ski de fond au Québec	22,95 $	110 FF
☐	Randonnée pédestre au Québec	22,95 $	129 FF

Guides de conversation

- ☐ L'Anglais pour mieux voyager en Amérique   9,95 $ 43 FF
- ☐ L'Espagnol pour mieux voyager en Amérique latine   9,95 $ 43 FF
- ☐ Le Brésilien pour mieux voyager   9,95 $ 43 FF
- ☐ Le Portugais pour mieux voyager   9,95 $ 43 FF
- ☐ Le Québécois pour mieux voyager   9,95 $ 43 FF
- ☐ French for better travel   9,95 $ 43 FF

Journaux de voyage Ulysse

- ☐ Journal de voyage Ulysse (spirale)   12,95 $ 84,95 FF
- ☐ Journal de voyage Ulysse (format de poche) bleu - rouge - jaune - vert - sextant   9,95 $ 44 FF

budget●zone

- ☐ Ouest canadien   14,95 $ 69 FF
- ☐ Le Québec   14,95 $ 69 FF
- ☐ Stagiaires Sans Frontières   14,95 $ 89 FF

Titre	Qté	Prix	Total
Nom :		Total partiel	
		Port	4$/16FF
Adresse :		Total partiel	
		Au Canada TPS 7%	
		Total	
Tél :	Fax :		
Courriel :			
Paiement : ☐ Chèque ☐ Visa ☐ MasterCard			

Guides de voyage Ulysse
4176, rue Saint-Denis, Montréal (Québec) H2W 2M5
☎(514) 843-9447
sans frais ☎1-877-542-7247
Fax : (514) 843-9448
info@ulysse.ca

En Europe:
Les Guides de voyage Ulysse, SARL
BP 159
75523 Paris Cedex 11
☎01.43.38.89.50
Fax : 01.43.38.89.52
voyage@ulysse.ca

Consultez notre site : www.guidesulysse.com